Manual de Treinamento Organizacional

A Artmed é a editora oficial da SBPOT.

M543m Meneses, Pedro.
         Manual de treinamento organizacional / Pedro Meneses,
       Thaís Zerbini, Gardênia Abbad. – Porto Alegre : Artmed, 2010.
         168 p. ; 23 cm.

         ISBN 978-85-363-2355-8

         1. Psicologia. 2. Psicologia organizacional.
       3. Comportamento organizacional. I. Zerbini, Thaís.
       II. Abbad, Gardênia. III. Título.

                                              CDU 159:005.32

Catalogação na publicação: Ana Paula M. Magnus – CRB-10/Prov-009/10

Manual de Treinamento Organizacional

Pedro Meneses
Thaís Zerbini
Gardênia Abbad

2010

© Artmed Editora S.A., 2010

Capa: Heybro Design
Preparação de originais: Cristine Henderson Severo
Editora Sênior – Ciências Humanas: Mônica Ballejo Canto
Editora responsável por esta obra: Carla Rosa Araujo
Editoração e Projeto Gráfico: Carlos Soares

Reservados todos os direitos de publicação, em língua portuguesa, à
ARTMED® EDITORA S.A.
Av. Jerônimo de Ornelas, 670 - Santana
90040-340 Porto Alegre RS
Fone (51) 3027-7000 Fax (51) 3027-7070

É proibida a duplicação ou reprodução deste volume, no todo ou em parte, sob quaisquer formas ou por quaisquer meios (eletrônico, mecânico, gravação, fotocópia, distribuição na Web e outros), sem permissão expressa da Editora.

SÃO PAULO
Av. Embaixador Macedo Soares, 10.735 - Pavilhão 5 - Cond. Espace Center
Vila Anastácio 05095-035 São Paulo SP
Fone (11) 3665-1100 Fax (11) 3667-1333

SAC 0800 703-3444

IMPRESSO NO BRASIL
PRINTED IN BRAZIL
Impresso sob demanda na Meta Brasil a pedido de Grupo A Educação.

Autores

Pedro Paulo Murce Meneses

Doutor e mestre em Psicologia pela Universidade de Brasília. Professor do Departamento de Administração e Pesquisador do Programa de Pós-Graduação em Administração da Faculdade de Administração, Contabilidade, Economia e Ciências da Informação e Documentação, da Universidade de Brasília.

Thaís Zerbini

Doutora e mestre em Psicologia pela Universidade de Brasília. Professora Doutora de Psicologia Organizacional e do Trabalho da Faculdade de Filosofia, Ciências e Letras de Ribeirão Preto, na Universidade de São Paulo.

Gardênia Abbad da Silva

Doutora e mestre em Psicologia pela Universidade de Brasília. É pesquisadora e bolsista de produtividade do CNPq. Professora do Programa de Pós-Graduação em Psicologia Social, do Trabalho e das Organizações e do Programa de Pós-Graduação em Administração, da Universidade de Brasília.

Aos pais, cônjuges, familiares e amigos que, com paciência e carinho, contribuíram para o desenvolvimento deste livro. Aos alunos e colegas de trabalho que participam de nossas pesquisas, pela oportunidade de construção compartilhada e transferência de conhecimentos.

Sumário

Prefácio 11
Tomás de Aquino Guimarães

Apresentação 13
Pedro Meneses, Thaís Zerbini e Gardênia Abbad

**1 Conceitos essenciais em treinamento,
desenvolvimento e educação de pessoas** 15

**2 Avaliação de necessidades de treinamento,
desenvolvimento e educação de pessoas** 25

    Exemplo de avaliação de necessidades de treinamento 61

**3 Planejamento de ação de treinamento,
desenvolvimento e educação de pessoas** 75

    Exemplo de planejamento de ação de treinamento 117

**4 Avaliação de efeitos de treinamento,
desenvolvimento e educação de pessoas** 125

    Exemplo de avaliação de efeitos de treinamento 157

Índice 167

Prefácio

Manual de treinamento organizacional, de Meneses, Zerbini e Abbad, é um livro para quem ensina e para quem pratica gestão de pessoas. O livro atende, portanto, necessidades de professores e alunos em cursos de graduação e de pós-graduação nas áreas de administração e de psicologia organizacional e do trabalho, e de técnicos e gestores de organizações em geral encarregados do gerenciamento de pessoas.

Os autores deste livro conseguiram, com maestria, aproximar teoria e aplicação, o que não é comum em uma mesma obra. Este livro é científico e, ao mesmo tempo, tecnológico - científico por ser ancorado em resultados de estudos e pesquisas; tecnológico por fornecer ao leitor o detalhamento necessário à aplicação das principais metodologias de planejamento, aplicação e avaliação de ações de treinamento, desenvolvimento e educação de pessoas em organizações.

Nesse sentido, são apresentados e discutidos os principais conceitos, modelos e teorias desenvolvidos com rigor científico na área de treinamento, desenvolvimento e educação em organizações, porém, com uma linguagem leve e acessível a novos entrantes. Quando os autores descrevem o como fazer, valem-se da mesma leveza, sem entrar na perigosa vala comum de tentar convencer o leitor de que o caminho proposto é ou o único ou o melhor; pelo contrário, abrem perspectivas para que o leitor interessado em aprofundar conhecimentos na área possa ir adiante.

Esse aspecto – potencial de impacto da obra no desenvolvimento do conhecimento ou na prática – seria suficiente para atestar a relevância do livro. No entanto, é importante registrar que essa relevância se amplia quando se percebe, no mercado editorial da área de administração, uma proliferação de obras de conteúdo duvidoso, tanto do ponto de vista científico quanto do viés da aplicação.

Além disso, e não menos importante, é relevante destacar que os conhecimentos e as metodologias descritos neste livro foram gerados por pesquisadores brasileiros, com base na realidade de nossas organizações. Isso mostra que o conhecimento nacional na área de treinamento, desenvolvimento e educação em organizações está consolidado. Essa excelência foi alcançada graças ao trabalho que vem sendo realizado há mais de duas décadas, com competência, disciplina e rigor científico, por um grupo de pesquisadores - que inclui os autores do livro - espalhado por diferentes centros de pesquisa no Brasil, com um forte núcleo instalado no Instituto de Psicologia da Universidade de Brasília.

Por esses motivos, e considerando a qualidade intrínseca da obra, acredito fortemente que este livro será um sucesso editorial e preencherá uma lacuna importante no ensino superior brasileiro nas áreas de administração e psicologia.

Tomás de Aquino Guimarães
Professor Associado da Universidade de Brasília –
Departamento de Administração

Apresentação

Este livro é resultado de um processo de formação de pesquisadores iniciado em 1997 na Universidade de Brasília (UnB), momento de criação de um Grupo de Pesquisa, denominado de IMPACTO, interessado no estudo da efetividade de ações de treinamento, desenvolvimento e educação (TD&E) em organizações e no trabalho. Ao longo dos seus 13 anos de existência, este grupo tem desempenhado papel fundamental não somente na formação de profissionais, mestres e doutores especializados em psicologia do treinamento, mas, sobretudo, na disseminação de orientações teóricas e metodológicas úteis ao contínuo aperfeiçoamento dos sistemas de TD&E vigentes na maioria das organizações brasileiras.

Diferentemente do tipo de literatura em geral produzida em grupos de pesquisa, este livro assume caráter de manual de procedimentos e técnicas sem perder de vista as bases científicas que permitiram com que a área de treinamento fosse elevada à condição de campo científico de investigação. Portanto, tem como meta principal tornar mais precisa a estruturação dos principais processos que compõem um sistema de TD&E, bem como possibilitar articulações mais intensas entre esses sistemas, a estratégia organizacional e as metas e os resultados demandados de unidades de trabalho.

O grande desafio na proposição deste livro, assim, foi justamente tornar compreensível, para o leitor cujos interesses profissionais não se direcionam para o âmbito acadêmico, uma série de modelos teóricos e de resultados de pesquisa emergida na literatura científica de treinamento desde os primórdios de sua solidificação como campo do saber. Neste sentido, os autores reunidos nesta obra, além de resgatarem importantes achados produzidos por eles próprios e por outros diversos pesquisadores nacionais e internacionais, basearem-se consideravelmente em suas experiências como profissionais e consultores da área de TD&E.

É crescente a pressão por resultados exercida pelos principais grupos de interesse das organizações, tais como proprietários, investidores, executivos, clientes, funcionários etc. Para atender a essa demanda, cabe ao profissional de TD&E dominar um conjunto de conhecimentos e habilidades que lhe permitam julgar se e como ações educacionais podem contribuir para o aprimoramento dos desempenhos individual, de grupos e organizacional, bem como planejar e avaliar tais ações de modo sistemático.

Dessa forma, antes mesmo de traduzir resultados de pesquisa em roteiros de trabalho, o profissional de treinamento precisará resolver diversas divergências teóricas e metodológicas em meio a uma produção volumosa de conhecimentos. Sobre a avaliação de necessidades, o desafio se torna ainda maior à medida que as pesquisas pouco avançaram até o momento. Em relação ao planejamento, são tantas as abordagens teóricas, conceituais e processuais que o profissional pode facilmente perder-se na busca de ferramentas mais facilmente aplicáveis em contextos dinâmicos de trabalho. Por fim, no caso da avaliação, inúmeras dificuldades relativas ao delineamento, à instrumentação e aos procedimentos de coleta, análise e devolução de dados emergem quando se pretende ir além da tradicional avaliação de satisfação com o treinamento.

Orientar a superação dessas dificuldades é o propósito do presente material, que assume uma configuração didática, sem se transformar em um mero receituário, a fim de contribuir para uma prática de treinamento mais efetiva. Desejamos a todos que a leitura seja, além de prazerosa, enriquecedora.

Pedro Meneses, Thaís Zerbini e Gardênia Abbad

Conceitos essenciais em treinamento, desenvolvimento e educação de pessoas

> **Objetivos**
>
> Ao final deste capítulo, o leitor deverá ser capaz de:
> - Definir os conceitos de aprendizagem, treinamento, desenvolvimento e educação.
> - Diferenciar os conceitos de comunicação de conhecimentos, instrução, treinamento, educação e desenvolvimento de pessoas como estratégias de indução de aprendizagem.
> - Conceituar sistemas e tecnologias instrucionais, identificando suas fases.

INTRODUÇÃO

Frente às constantes alterações econômicas, políticas e sociais que influenciam o posicionamento mercadológico das empresas modernas, torna-se vital o desenvolvimento de projetos e programas que contribuam para a elevação das taxas de sobrevivência e competitividade organizacional. Este cenário vem transformando a atuação das áreas de recursos humanos nas organizações brasileiras e, consequentemente, os setores responsáveis pela formação e qualificação de seus profissionais. E isso exige uma postura mais reflexiva e crítica dos indivíduos que atuam ou pretendem atuar em prol do desenvolvimento pessoal e profissional dos colaboradores de determinada organização.

Espera-se do profissional de treinamento maior capacidade decisória sobre por que, em que, como, quando, onde e quanto investir na formação e na qualificação dos funcionários de uma organização. A crença de que indivíduos qualificados levarão as organizações a alcançarem patamares adequados e estáveis de competitividade precisa ser urgentemente revista. E isso exige, antes de qualquer coisa, que sejam compreendidas as bases teórico-conceituais que conformam a formulação de projetos e ações de treinamento, educação e desenvolvimento de pessoas (TD&E), como discutido em seguida.

> Se até pouco tempo atrás indivíduos e organizações *contentavam-se com treinamentos bem organizados*, ministrados por profissionais qualificados e realizados em locais aprazíveis, atualmente *a mera concentração de esforços em atividades executivas não parece mais suficiente*. A acirrada competição entre organizações elevou as taxas de investimento em ações de TD&E, e isso aumentou a pressão para que tais recursos sejam adequadamente geridos.

APRENDIZAGEM, TREINAMENTO, DESENVOLVIMENTO E EDUCAÇÃO

Segundo Pantoja e Borges-Andrade (2002), aprendizagem é um processo psicológico que ocorre no nível do indivíduo. Apesar da intensa discussão sobre o conceito promovida por teóricos de diferentes perspectivas, é consenso de que se trata de alterações duradouras de comportamentos não apenas associadas à passagem do tempo, à idade ou às fases da vida, mas também decorrentes da interação do indivíduo com o ambiente (Abbad e Borges-Andrade, 2004).

A analogia recorrentemente utilizada por um conjunto de teóricos da psicologia, da qual os autores deste livro compartilham, recorre aos sistemas informacionais computadorizados. Segundo a corrente cognitivista, os indivíduos são compreendidos como processadores que, bombardeados por estímulos ambientais diversos, têm de atentar, selecionar, adquirir, reter, generalizar e transferir informações na forma de respostas precisas às demandas de desempenho que lhe são impostas. No intuito de contribuir para o adequado funcionamento desse processamento humano de informações – condição necessária, embora não suficiente, para a geração de resultados individuais e organizacionais de desempenho – têm-se, então, os processos formais de treinamento, desenvolvimento e educação de pessoas (TD&E), que são apresentados em Abbad e Borges-Andrade (2004).

- **Processos de TD&E:** ações organizacionais que utilizam da tecnologia instrucional na promoção do desenvolvimento de conhecimentos, habilidades e atitudes (CHA) para suprir lacunas de desempenho no trabalho e preparar os colaboradores para novas funções.
- **Tecnologia instrucional:** conjunto de atividades interdependentes que permitem com que as necessidades de desempenho individual e organizacional sejam identificadas, transformadas em planos executivos, e entregues a determinados grupos profissionais.

Faz-se necessário, neste momento, retomar a distinção entre os conceitos de treinamento, desenvolvimento e educação, visto que cada uma dessas propostas exige uma forma específica de atuação do profissional, bem como apresentar o significado dos termos informação e instrução, também objetos de manipulação da área de TD&E.

Segundo Rosemberg (2002), a instrução nada mais representa do que a organização sistemática de determinada ação educacional realizada pela equipe de planejadores instrucionais. Mais detalhadamente, Vargas e Abbad (2006) compreendem a instrução como um processo de formulação sistemática de objetivos específicos e definição de métodos de ensino em função dos módulos ou unidades de conteúdo. A propósito, as autoras entendem informação justamente como esses conteúdos organizados pela equipe de planejadores sob a forma de programas instrucionais.

Já em relação aos conceitos de treinamento, desenvolvimento e educação, a diferença crítica refere-se ao fato de que ações de desenvolvimento são planejados e direcionados para o crescimento pessoal do empregado, sem manter relações estritas com o trabalho em determinada organização. Um curso de espanhol para profissionais que não necessitam dominar a língua para realização de suas atividades, presentes ou futuras, enquadra-se nessa categoria.

Já a educação refere-se às oportunidades dadas pela organização ao indivíduo visando prepará-lo para ocupar cargos diferentes em outro momento dentro da mesma organização. Assim, caso seja previsto pela organização que determinados profissionais passarão a representar os interesses da instituição em fóruns latino-americanos, então neste caso o curso de língua espanhola pode ser caracterizado como um programa de educação.

Por fim, se a educação é direcionada para atividades que serão desempenhadas em um futuro breve pelos funcionários de uma organização, o treinamento prepara os indivíduos para melhorar o desempenho no cargo atual (Abbad e Borges-Andrade, 2004; Nadler, 1984; Sallorenzo, 2000). A partir dos exemplos anteriores, se os funcionários não estiverem sendo capazes de representar os interesses da empresa nos fóruns mencionados, então o curso de língua espanhola assumirá caráter de treinamento para esses indivíduos.

- **Informação:** módulos ou unidades organizadas de conteúdo.
- **Instrução:** estabelecimento de objetivos instrucionais e execução de determinados procedimentos de ensino.
- **Treinamento:** ação direcionada para atividades atualmente desempenhadas.
- **Educação:** ação voltada para atividades que serão desempenhadas em um futuro breve.
- **Desenvolvimento:** ação orientada para o crescimento pessoal e profissional do funcionário e sem vínculo estreito com as atividades, presentes ou futuras, demandadas por determinada organização.

Apesar de evidentes as distinções entre os conceitos anteriormente expostos e ilustrados adiante na Figura 1.1, na prática, devido a problemas na estruturação do processo de avaliação de necessidades ou mesmo em decorrência do escopo da ação em foco, nem sempre é possível distingui-los facilmente. A essa altura o leitor já deve ter percebido que o que distingue os conceitos de treinamento, desenvolvimento e educação é justamente a finalidade a que se presta a ação educacional sob análise.

No caso de avaliações de necessidades problemáticas, uma mesma ação, presencial ou virtual, pode transformar-se, para alguns, em um treinamento (se seles precisarem do curso para seus atuais trabalhos), em uma educação (se eles vislumbrarem projeções de carreira condizentes com os conteúdos do curso) ou, ainda, em uma ação de desenvolvimento (caso compreendam que jamais trabalharão profissionalmente com os conteúdos enfocados). A questão é que a configuração desses tipos de ação assume certas particularidades caso a caso.

Em relação à confusão conceitual decorrente dos próprios escopos de cada uma dessas ações, retomemos o exemplo do curso de língua espanhola. Foi mencionado que se o profissional não vislumbrar oportunidade de colocar em prática, em sua organização, as habilidades adquiridas, então a ação será enquadrada na categoria de desenvolvimento. Agora suponha que este profissional desempenhe as funções de secretariado de certa unidade organizacional. Tais funções exigem um relacionamento constante com os funcionários desta e das outras tantas unidades que compõem a estrutura da organização.

Para que esses relacionamentos possam se efetivar adequadamente, o profissional necessita de um repertório comportamental específico que lhe permita, entre outros aspectos, interpretar as demandas que lhe são apresentadas e repassá-las a quem interessar. Em cursos de língua estrangeira para adultos, geralmente os métodos de ensino preconizam atividades em grupo, de forma que, indiretamente, além das habilidades de leitura e interpretação, redação e conversação, os participantes acabam por desenvolver importantes

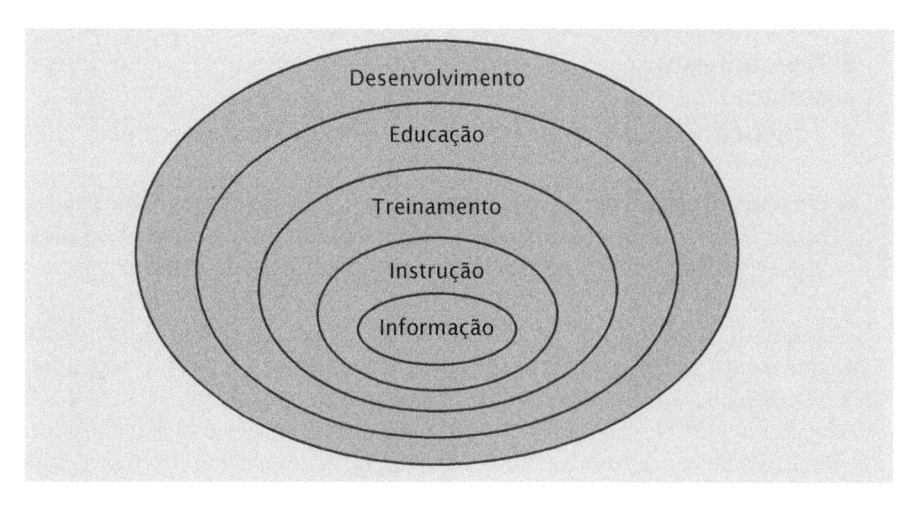

FIGURA 1.1 Relação entre os conceitos.
Fonte: Carvalho (2003) e Zerbini (2003).

habilidades interpessoais. Nesse contexto, por mais que os funcionários da organização tenham ido participar de uma ação de desenvolvimento, esta mesma ação foi capaz de afetar, ainda que indireta e talvez superficialmente, seus desempenhos atuais, assumindo, neste caso, a função de um treinamento.

Justamente devido a essas sobreposições é que Vargas e Abbad (2006) propuseram outra forma de analisar a relação entre os conceitos em análise, não mais fundamentada na finalidade a que se propõe a ação educacional, mas, agora, na complexidade da estrutura de conhecimento de tais ações. Assim, o conceito de educação seria mais abrangente que o de desenvolvimento à medida que, conforme Nadler (1984), a educação, nas últimas décadas, passou a assumir novos significados, incorporando em seu escopo tanto ações direcionadas para o crescimento profissional quanto pessoal.

Em termos práticos, para preparar o indivíduo para um trabalho futuro (educação), as ações educacionais mais adequadas seriam cursos de média e longa duração, tais como, técnicos profissionalizantes, graduação, especialização, e até mesmo programas de mestrado e doutorado. Já para alcançar o objetivo de promover o crescimento pessoal do indivíduo (desenvolvimento), as organizações poderiam ofertar cursos e palestras sobre qualidade de vida no trabalho, esses de níveis de complexidade mais simples do que as ações associadas à promoção da educação. A Figura 1.2 ilustra a nova proposta dos autores destacados quanto aos conceitos discutidos.

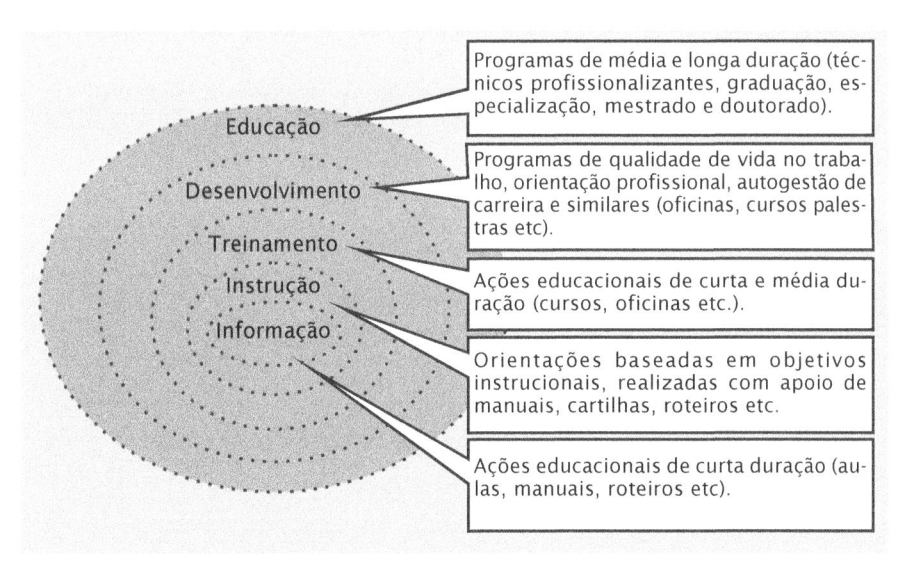

FIGURA 1.2 Relação entre conceitos e respectivas soluções educacionais.
Fonte: Vargas e Abbad (2006).

As autoras deixam claro, no entanto, que a proposta ilustrada na Figura 1.2 não se contrapõe à de outros autores. O intuito é discutir e refletir sobre a realidade atual do mundo do trabalho, já que, nas últimas décadas, conceitos como educação continuada e educação corporativa passaram a fazer parte do processo de crescimento pessoal e profissional dos indivíduos dentro e fora das organizações de trabalho. Discutidos os conceitos essenciais à conformação de ações adequadas de TD&E, na seção seguinte é apresentado ao leitor o que estudiosos e pesquisadores denominam de tecnologia instrucional.

SISTEMA DE TREINAMENTO

Quanto ao referencial da maioria das pesquisas nacionais e estrangeiras, bem como na prática vigente de TD&E, segundo Borges-Andrade e Abbad (1996), a abordagem mais utilizada é aquela baseada na teoria geral de sistemas, que prevê a articulação entre os seguintes elementos e destes com o contexto que os circunda: insumos, processamento, resultados e retroalimentação. Transpostos para a área de TD&E, os componentes da teoria citada associam-se, respectivamente, às etapas de avaliação de necessidades, de planejamento instrucional e de avaliação de efeitos. Esta última etapa, vale mencionar, vincula-se tanto ao componente resultado (coleta de informações sobre efeitos) como ao retroalimentação (decisões sobre o treinamento e o sistema de treinamento). A Figura 1.3 destaca os componentes de um sistema de TD&E.

No intuito de aproximar as ações de TD&E dos objetivos organizacionais, conferindo assim estratégia à área em questão, é fundamental a compreensão das discrepâncias entre os desempenhos reais, manifesta-

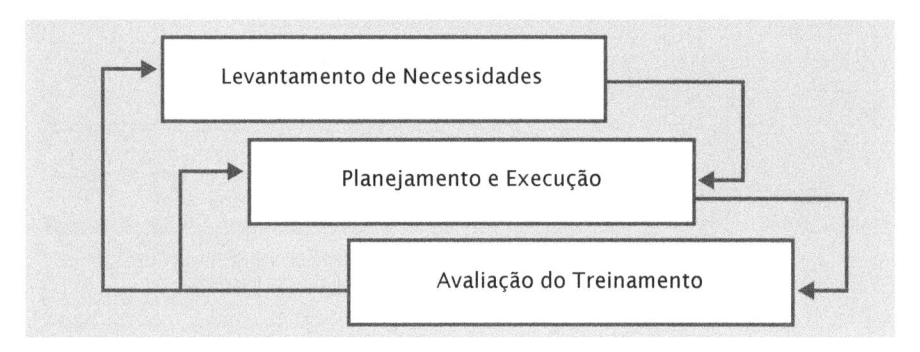

FIGURA 1.3 Sistema de Treinamento.
Fonte: Borges-Andrade e Abbad (1996).

dos pelos indivíduos, e os esperados pelas empresas. Reconhecer esta discrepância sistematicamente aumenta a probabilidade de sucesso das ações de treinamento. Brevemente, o reconhecimento de discrepâncias, em termos de resultados, desempenhos, capacidades ou soluções desejadas, é realizado por meio de três conjuntos de análises – organizacional, de tarefas e individual. Posto de outro modo, é nessa etapa que são identificadas as capacidades necessárias que uma organização precisa desenvolver para alcançar seus objetivos, os conhecimentos, habilidades e atitudes (CHA) que um indivíduo deve apresentar para desempenhar sua função e os indivíduos que necessitam de treinamento por não apresentarem CHAs em seus repertórios.

Essa necessidade de se alinhar o desempenho humano e os resultados do negócio das organizações passa a exigir uma nova postura dos modelos de gestão de pessoas prevalecentes. Entretanto, na prática, a maioria das organizações não realiza análises organizacionais, concentrando os esforços de levantamentos de necessidades em análises de tarefas e individuais. Desta forma, acabam negligenciando o contexto sobre o qual os efeitos da ação educacional – também desconhecidos – incidirão e, consequentemente, acabam por reduzir as chances de que esta ação contribua para a promoção da efetividade organizacional, principal objetivo de um programa de TD&E.

Em seguida, a ação educacional é planejada e executada a partir da definição dos objetivos e de conteúdos, da sequência do ensino e da escolha dos meios e estratégias instrucionais mais adequados para se alcançar os objetivos descritos. Apesar de este subsistema, diferentemente do anterior, contar com extensa fundamentação teórico-conceitual e empírica, na prática o foco das ações de TD&E geralmente recai na entrega de cursos planejados em função dos professores, instrutores e tutores, e não dos aprendizes. Além disso, geralmente os programas de treinamento são formulados a partir do nível individual de análise, havendo pouco conhecimento sistematizado sobre como atender a necessidades de grupos e equipes de trabalho.

Por fim, a avaliação de treinamento fornece ao sistema informações sistemáticas sobre lacunas na aprendizagem dos indivíduos e no desempenho dos instrutores; identifica falhas no planejamento de procedimentos instrucionais; indica se o treinamento foi positivo para os indivíduos e organizações em termos de aplicabilidade e utilidade; informa o quanto as habilidades aprendidas estão sendo aplicadas no trabalho ou na vida profissional dos indivíduos e quais aspectos facilitam ou dificultam este processo. Apesar das possibilidades de configuração de uma sistemática de avaliação, os esforços geralmente se concentram na investigação de transferência horizontal, no nível individual. Pouco se sabe sobre a transferência vertical; como efeitos no nível individual se agregam para gerar resultados em níveis mais elevados.

A análise da literatura nacional e estrangeira realizada por Abbad, Carvalho e Zerbini (2006) sintetiza as principais limitações da área de TD&E. Para as autoras, de modo geral, os sistemas de treinamento em ambientes organizacionais não utilizam avaliações sistemáticas de necessidades de treinamento, não as relacionam às capacidades organizacionais ou as alinham às estratégias organizacionais, fazem pequeno esforço de avaliação de aprendizagem e investem pouco em planejamento instrucional de cursos presenciais. Além disso, recorrem mais frequentemente a treinamentos presenciais, que privilegiam poucas pessoas da organização, em detrimento de treinamentos a distância que poderiam alcançar um número bem maior de participantes de diferentes unidades da organização. Observa-se também a ausência de avaliações sistemáticas de treinamento em diferentes níveis e pequena produção tecnológica em avaliação de treinamentos baseados na *web* (TBWs) e treinamentos baseados em computador (TBCs).

CONSIDERAÇÕES FINAIS

Em suma, apesar da disponibilidade teórico-conceitual, metodológica e empírica, as organizações ainda carecem de práticas adequadas de TD&E que garantam, de modo articulado, o atendimento das metas de desenvolvimento de indivíduos e empresas.

É preciso que as áreas responsáveis pelo desenvolvimento individual reajustem urgentemente suas práticas vigentes, sob risco de perderem cada vez mais espaço nas organizações modernas. Muito se investe atualmente em ações de TD&E, de forma que se os processos de avaliação de necessidades, de planejamento e de avaliação da efetividade de treinamentos não forem rapidamente reajustados, a pressão por resultados e as consequentes demonstrações de ineficácia e ineficiência acabarão por retirar das áreas de recursos humanos a gestão de tais atividades. O Quadro 1.1 apresenta algumas ações necessárias para que o sistema de TD&E possa realmente ser considerado estratégico para as organizações. Essas ações constituem justamente as temáticas centrais discutidas nos capítulos que integram este livro.

> Apenas solicitar aos indivíduos que indiquem, em um extenso *cardápio de cursos*, os treinamentos que desejam realizar, *delegar completamente o planejamento a instrutores* especializados em seus conteúdos, mas com pouco domínio de planejamento educacional e didática, e *apenas avaliar a satisfação dos treinandos* com o curso, *não mais parece ser suficiente*.

QUADRO 1.1	Ações para que o sistema de TD&E torne-se estratégico
Subsistema	Ações Necessárias
Avaliação de Necessidades	■ Descrever necessidades em termos de ações desejadas e não de conteúdos. ■ Avaliar necessidades juntamente com perfil demográfico, motivacional e profissional da clientela. ■ Analisar o clima e suporte organizacionais ao uso de novas capacidades no trabalho. ■ Criar condições necessárias à transferência de treinamento ou remediar a sua falta. ■ Classificar capacidades e hierarquizá-las para elaboração dos currículos de educação continuada.
Planejamento de Ações de TD&E	■ Utilizar taxonomias de resultados de aprendizagem. ■ Escolher estratégias compatíveis com o grau de complexidade do objetivo. ■ Selecionar estratégias que aumentem a interação, a busca independente de informações e a solução de problemas reais. ■ Elaborar avaliações de aprendizagem e exercícios compatíveis com os objetivos. ■ Criar situações em que o aprendiz terá que demonstrar a competência a ser transferida para o trabalho (simular a complexidade do ambiente real). ■ Elaborar currículos para o desenvolvimento de capacidades complexas (metacognitivas). ■ Planejar o treinamento de modo a facilitar a emergência dos efeitos do treinamento para os níveis de grupo e organização.
Avaliação de Efeitos de TD&E	■ Construir modelos integrados reação, aprendizagem, impacto, resultados e valor final de avaliação de programas de TD&E. ■ Construir modelos que incluam variáveis demográficas, motivacionais e profissionais da clientela e suas relações com as condições de trabalho. ■ Realizar análises multivariadas a fim de identificar que aspectos melhor explicam e predizem os resultados das ações de TD&E. ■ Mudar a atitude do profissional de TD&E; a incompetência não é função apenas de características individuais (saberes e motivações), mas de múltiplos fatores ambientais externos, muitas vezes, incontroláveis.

REFERÊNCIAS

Abbad, G., & Borges-Andrade, J.E. (2004). Aprendizagem humana em organizações de trabalho. In J.C. Zanelli, J.E. Borges-Andrade, & A.V.B. Bastos (Orgs.), *Psicologia, organizações e trabalho* (pp. 237-275). São Paulo: Artmed.

Abbad, G., Carvalho, R.S., & Zerbini, T. (2006, julho/dezembro). Evasão em curso via internet: explorando variáveis explicativas. *RAE-eletrônica*, 5(2), art. 17.

Borges-Andrade, J. E., & Abbad, G.S. (1996). Treinamento e desenvolvimento: reflexões sobre suas pesquisas científicas. *Revista de Administração, 31*(2), 112–125.

Carvalho, R.S. (2003). *Avaliação de treinamento a distância via internet: reação, suporte à transferência e impacto do treinamento no trabalho*. Dissertação de mestrado não publicada, Universidade de Brasília, Brasília.

Nadler, L. (1984). *The handbook of human resources development*. New York: Wiley.

Pantoja, M.J., & Borges-Andrade, J.E. (2002). Uma abordagem multinível para o estudo da aprendizagem e transferência nas organizações. *Anais do ENANPAD, Salvador, 26*.

Rosenberg, M.J. (2002). *E-learning: estratégias para a transmissão do conhecimento na era digital*. São Paulo: Makron Books.

Sallorenzo, L.H. (2000). *Avaliação de impacto de treinamento no trabalho: analisando e comparando modelos de predição*. Dissertação de mestrado não publicada, Instituto de Psicologia, Universidade de Brasília, Brasília.

Vargas, M.R.M., & Abbad, G.S. (2006). Bases conceituais em treinamento, desenvolvimento e educação – TD&E. In J.E. Borges-Andrade, G. Abbad, & L. Mourão (Orgs.), *Treinamento, desenvolvimento e educação em organizações e trabalho: fundamentos para a gestão de pessoas* (pp. 137–158). Porto Alegre: Artmed.

Zerbini, T. (2003). *Estratégias de aprendizagem, reações aos procedimentos de um curso via internet, reações ao tutor e impacto do treinamento no trabalho*. Dissertação de mestrado não publicada, Universidade de Brasília, Brasília.

Avaliação de necessidades de treinamento, desenvolvimento e educação de pessoas

Objetivos

Ao final deste capítulo, o leitor deverá ser capaz de:
- Definir o conceito de desempenho humano no trabalho.
- Identificar os elementos que explicam o desempenho humano em contextos organizacionais.
- Identificar causas e soluções para problemas de desempenho, a partir da análise de três componentes: ambiente, habilidades e motivação.
- Definir necessidades educacionais nos níveis da organização, de grupos e do indivíduo.
- Descrever as etapas do processo de avaliação de necessidades educacionais em contextos organizacionais.
- Demonstrar os procedimentos para determinação de índice de prioridade geral de necessidades educacionais.
- Demonstrar os procedimentos de análise e interpretação de resultados de processos de avaliação de necessidades educacionais.

INTRODUÇÃO

As constantes transformações do mundo do trabalho têm alterado consideravelmente a estrutura dos programas de educação corporativa, de qualificação e de formação de profissionais, sobretudo no que diz respeito à complexidade dos conteúdos então tratados no âmbito dessas iniciativas. Na busca de maiores capacidades de sobrevivência e competitividade, as organizações passam a investir consideravelmente em ações de treinamento, desenvolvimento e educação de pessoas (TD&E).

> Estimativas sugerem que os investimentos em ações dessa natureza, nos Estados Unidos, contabilizam 200 bilhões de dólares, ao passo que *o retorno desses investimentos em termos de melhorias dos desempenhos individuais e organizacionais, na melhor das hipóteses, atinge a taxa de 10%* (Salas e Cannon-Bowers, 2001).

Entre as principais explicações para o pequeno retorno dos investimentos organizacionais em programas de TD&E, merece destaque a ineficiência dos processos de avaliação de necessidades educacionais, frequentemente realizados por meio daquilo que a academia denomina de Levantamento de Treinamentos via Cardápio. Sinteticamente, esse levantamento costuma ser aplicado perguntando-se à população ou certas amostras de funcionários quais cursos deveriam ser realizados em um período específico de tempo. De posse das inúmeras solicitações recebidas, compete à área de gestão de pessoas responsável pela organização das atividades de TD&E analisá-las e tomar a decisão sobre quais cursos serão de fato realizados. Apesar de atraente, principalmente devido à celeridade com que costuma ser operacionalizada, essa iniciativa é problemática uma vez que esbarra na completa falta de critérios para que as decisões sobre os investimentos em programas de TD&E sejam acertadamente tomadas.

Ainda que em alguns casos a capacidade técnica das áreas responsáveis pela gestão de programas de TD&E possa explicar a falta de sistematicidade dos processos vigentes de avaliação de necessidades, não é possível responsabilizar completamente a comunidade profissional. Como discutido em seguida, a literatura especializada na temática central deste capítulo pouco avançou nas últimas décadas a ponto de os profissionais de TD&E encontrarem amparo metodológico atualizado para o cumprimento de suas atribuições.

Desde o início da década de 1960, momento que caracteriza o estabelecimento da área de TD&E como campo científico, McGehee e Thayer (1961) preconizavam a avaliação de necessidades em três níveis (Figura 2.1). No nível organizacional, determina-se onde o treinamento se faz necessário e se tal solução é capaz de afetar o desempenho da unidade selecionada e da empresa como um todo. No nível de tarefas, o foco recai sobre a descrição das tarefas e operações de determinada atividade laboral, bem como sobre as condições nas quais essas atividades seriam desempenhadas. Por fim, a análise individual inclui uma avaliação do desempenho dos profissionais para identificar desvios que possam ser tratados por meio de ações de treinamento.

Análise Organizacional
Onde o treinamento se faz necessário?

Análise Organizacional
O que deve ser treinado?

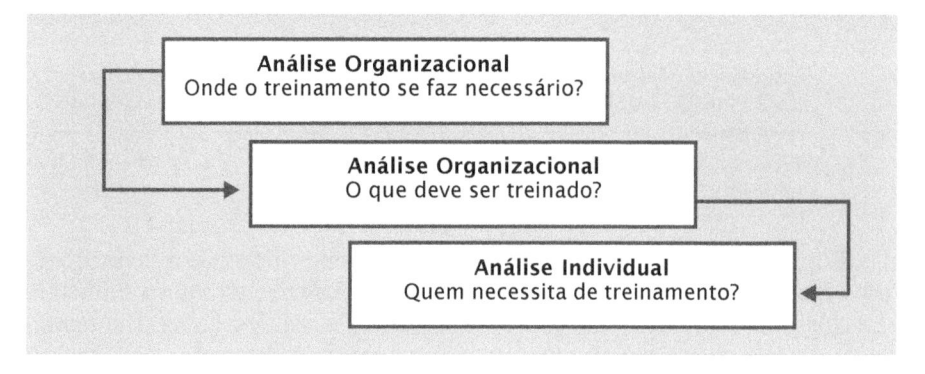

Análise Individual
Quem necessita de treinamento?

FIGURA 2.1 Modelo de ANT de McGehee e Thayer (1961).

Proposta há quase 50 anos, a ideia dos autores ainda é a principal referência da área de TD&E no que diz respeito à temática da avaliação de necessidades educacionais. Muito pouco se avançou até hoje, sobretudo em relação à análise organizacional, atividade de fundamental importância para que os programas de treinamento possam ser articulados com as metas, os objetivos e os resultados perseguidos por determinada organização. Conforme Borges-Andrade e Abbad (1996), apesar de a avaliação de necessidades por meio de análises organizacionais ter sido enfatizada pela literatura especializada, poucos artigos apresentam metodologias consistentes para sua consecução.

Pilati (2006) enfatiza que a produção tecnológica brasileira, principalmente acerca da avaliação de necessidades organizacionais e a relação dessas necessidades com outros níveis de análise encontra-se praticamente estagnada. Algumas metodologias foram desenvolvidas nos últimos anos, mas permanecem ainda as dificuldades na articulação de necessidades de desempenho de indivíduos, de grupos e equipes e organizacionais. Apesar de não mais justificável, uma importante explicação para este pequeno avanço pode ser apontada.

Conforme se observa na literatura especializada de TD&E, o campo científico da psicologia do treinamento é aquele que conduz, até hoje, a maioria dos esforços de pesquisa sobre a temática de TD&E, inclusive no tocante à avaliação de necessidades educacionais. Apesar dos recentes esforços de extrapolação do nível individual de análise, sobretudo em relação aos níveis de entrega e de avaliação de efeitos de treinamento, grande parte das pesquisas da área ainda tem o indivíduo como o principal ponto de referência (Goldstein, 1991; Latham, 1988; Tannenbaum e Yukl, 1992). Apenas recentemente, estimuladas pela emergência da teoria e do método multinível, é que começaram a ser incorporadas aos estudos de TD&E variáveis pertencentes a níveis de análise mais elevados (grupo, organizacional e societal). Tradicionalmente, esses níveis de análise são enfocados em áreas científicas do conhecimento não muito interessadas na temática de treinamento. Portanto, não é de se estranhar que, mesmo com o destaque conferido ao nível da organização em processos de avaliação de necessidades, exista pouquíssima orientação teórica ou metodológica para sua adequada realização neste nível de análise.

Apesar da análise organizacional integrante do processo de avaliação de necessidades constituir o principal gargalo da área de TD&E, justamente pelo fato de que os problemas aqui gerados repercutem enormemente nos efeitos dos programas de treinamento concebidos, limitações também são observadas na análise individual, etapa responsável pela determinação de que indivíduos precisam de quais ações de treinamento.

Segundo Borges-Andrade e Abbad (1996), devido ao desinteresse dos pesquisadores da área, poucas metodologias para a realização dessa análise encontram-se à disposição na literatura especializada. Talvez esse desinteresse decorra da aparente pouca complexidade da atividade referente.

Para esses mesmos autores, em primeiro lugar na produção de metodologias e tecnologias de avaliação de necessidades encontra-se a análise de tarefas. Essa análise, como informado, visa à decomposição do desempenho humano no trabalho em conjuntos específicos de atividades que possam ser facilmente treinadas. O grande investimento da área de TD&E em pesquisas sobre a referida análise pode ser explicado, em parte, pela complexidade da tarefa exigida e de sua associação com os tópicos realmente de interesse da psicologia, no caso, a aprendizagem humana. Historicamente, a principal fundamentação teórica que contribuiu para a solidificação da área de TD&E como campo científico de estudos denomina-se *princípios da aprendizagem*, propostos por Gagné (1970). Segundo esses princípios, toda e qualquer atividade humana pode ser decomposta em componentes que representam os comportamentos terminais a serem desenvolvidos em certos programas de treinamento.

Considerando que a análise organizacional abarca variáveis não dominadas pela psicologia do treinamento, e que a análise individual de processos de avaliação de necessidades implica na execução de atividades menos complexas, era de se esperar que a área de TD&E produzisse muito mais conhecimento sobre a análise de tarefas, por sua relação direta com um dos principais objetos de estudo da psicologia – o comportamento humano – do que nos dois outros casos. Desta forma, não surpreende que existam poucas experiências de avaliação de necessidades no nível da organização, poucas tentativas de integração dos diferentes níveis de análise de necessidades (indivíduo, tarefas e organização), além de uma grande dificuldade de articulação das ações educacionais aos objetivos estratégicos da organização.

O presente capítulo, portanto, tem como principal objetivo expor estratégias para a realização adequada de um processo de avaliação de necessidades de TD&E capaz de articular objetivos individuais de treinamento a metas e resultados observados nos níveis de grupo, organizacional e, até mesmo, societal. Vale ressaltar que as propostas apresentadas a seguir, no caso da análise organizacional, consistem em um conjunto de recomendações que começaram apenas recentemente a ser estabelecidas por alguns pesquisadores brasileiros da área de treinamento. No que diz respeito aos níveis de tarefas e individual, as proposições sobre a composição das necessidades individuais de treinamento apresentadas baseiam-se em procedimentos e técnicas disponíveis na literatura científica de TD&E.

O PROCESSO DE AVALIAÇÃO DE NECESSIDADES DE TD&E

Em um cenário dinâmico, as organizações necessitam, cada vez mais, de profissionais capazes de mobilizar conjuntos de capacidades necessários para a execução de ações e para a geração de resultados valiosos para suas clientelas. O problema é que, em decorrência de um ritmo acelerado de produção de informações e conhecimentos, nem sempre esses conjuntos de capacidades são facilmente identificados e, mais importante, alinhados ao nível de complexidade das exigências organizacionais. É nesse sentido que os processos de avaliação de necessidades educacionais passam a ser considerados importantes instrumentos de gestão da aprendizagem humana. A partir de processos dessa natureza, bem planejados e conduzidos, torna-se possível aproximar as ações educacionais dos objetivos organizacionais e, consequentemente, conferir um caráter estratégico às áreas responsáveis pela promoção do desenvolvimento humano em contextos organizacionais.

De forma sintética (Figura 2.2), o processo de avaliação de necessidades educacionais é iniciado com a constatação ou a antecipação (geralmente desempenhada por indivíduos direta ou indiretamente envolvidos

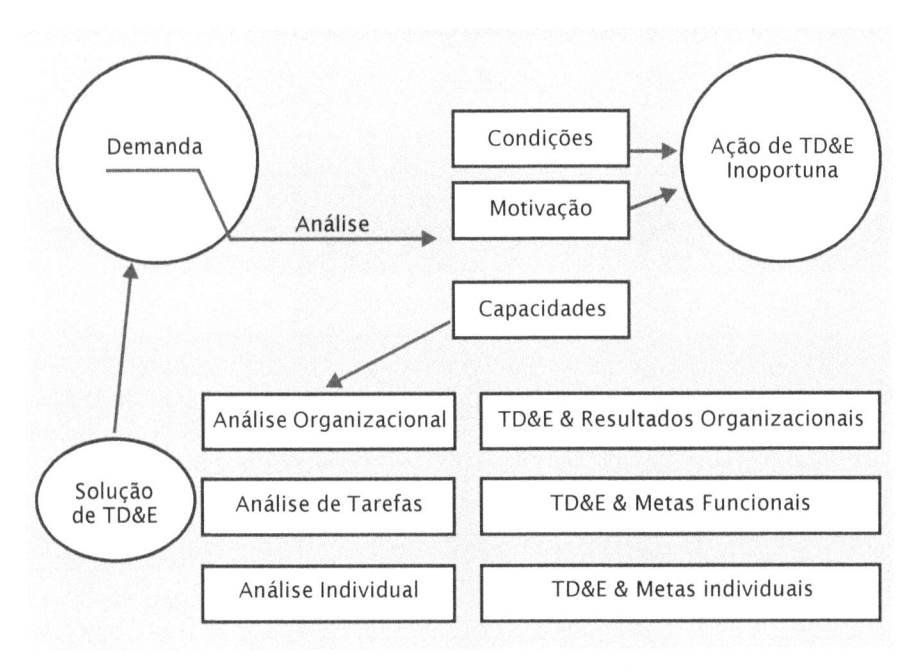

FIGURA 2.2 Processo de avaliação de necessidades de TD&E.

com a atividade alvo) de uma determinada necessidade de desempenho no trabalho. Desta forma, o processo de avaliação de necessidades nada mais é do que uma tentativa sistematizada, portanto mais objetiva, de identificação de necessidades educacionais, dos motivos que a fizeram emergir e das prováveis soluções que as satisfarão.

Antes de qualquer coisa, essa identificação exige uma análise consistente do problema ou da necessidade de desempenho. Isso porque, na maioria das vezes, tais problemas decorrem de falta de condições adequadas de trabalho ou ainda de baixos níveis de motivação para o trabalho. Neste ponto, é importante frisar que ações de TD&E são recomendadas somente para o tratamento de problemas de desempenho que exijam a remoção de lacunas ou o desenvolvimento de conhecimentos, habilidades e atitudes (CHA), mas não da reorganização de aspectos contextuais ou motivacionais.

Analisada a demanda e constatado que o problema ou a necessidade de desempenho pode ser sanado com a remoção de lacunas de CHAs, e não a partir da reestruturação de condições de trabalho ou da aplicação de estratégias motivacionais, passa-se, então, ao processo de avaliação de necessidades propriamente dito. Nesse ínterim, três grandes análises devem ser realizadas, sob pena de não serem gerados insumos em quantidade e, principalmente, em qualidade, para a etapa de planejamento e avaliação educacional:

- **Análise organizacional:** responsável pelo alinhamento das ações de TD&E com a estratégia organizacional (missão, visão, objetivos, resultados, estratégias, valores organizacionais, cultura organizacional etc.). Negligenciar essa etapa reduz as chances de que as ações de treinamento gerem impacto positivo no desempenho das organizações.

- **Análise de tarefas:** direcionada para o mapeamento dos conjuntos de CHAs necessários para que os indivíduos possam realizar adequadamente suas atividades. Tradicionalmente, essa análise identifica CHAs relacionados às atribuições e atividades individuais especializadas (capacidades específicas de determinado posto de trabalho). Atualmente, no intuito de que as ações de TD&E gerem efeitos também sobre o desempenho das unidades organizacionais (departamentos, áreas, coordenações etc.), recomenda-se que a identificação dos CHAs focalize os processos de trabalho executados na unidade selecionada.

- **Análise individual:** voltada para a identificação dos indivíduos, grupos ou equipes que mais necessitam de determinados conjuntos de CHAs, a fim de que possam aprimorar a execução de suas atividades no trabalho.

Realizadas essas três análises, as quais serão tratadas em seções específicas no decorrer deste capítulo, resta apenas elaborar um conjunto de alternativas para o tratamento dos problemas ou das necessidades educacionais. Este conjunto de alternativas configura-se como ponto de partida da etapa de planejamento de ações educacionais. Nas próximas páginas, discute-se, de maneira detalhada, as análises da demanda, organizacional, de tarefas, individual e a seleção de estratégias educacionais.

ANÁLISE DE DEMANDA

Como mencionado, a primeira atividade prevista em um processo de avaliação de necessidades educacionais concerne à análise da suposta demanda educacional. Caso a análise da demanda educacional não seja adequadamente realizada, e isto pressupõe a investigação dos motivos reais dos problemas ou necessidades de desempenho, as chances de que um programa de TD&E contribua decisivamente para a promoção de melhores desempenhos individuais e organizacionais são pequenas.

> Ações educacionais são recomendadas apenas para remoção de lacunas de CHAs. *Quando as necessidades educacionais decorrem unicamente de condições de trabalho inadequadas ou de baixos níveis motivacionais para o trabalho, as ações educacionais pouco podem contribuir para a promoção do desempenho dos indivíduos.* Neste caso, programas de Qualidade de Vida no Trabalho, por exemplo, seriam mais recomendados.

A entrega de uma ação educacional que não seja precedida, então, pela análise da demanda educacional, mais especificamente por uma análise dos determinantes do desempenho humano em contexto de trabalho – condições, motivação e capacidades (CHA) –, coloca em risco os investimentos organizacionais, reduzindo, consequentemente, a credibilidade dos sistemas TD&E. Mais uma vez, ressalta-se a importância da identificação dos motivos dos problemas de desempenho, cujos significados podem ser visualizados em seguida.

- **Condições**: Suporte necessário para a realização de determinada atividade de trabalho manifesto na forma de informações (qualidade, quantidade disponível), equipamentos, normas, mobiliário, leiaute, apoio financeiro, apoio material, *feedback* (frequência/oportunidade), clareza das metas, clima organizacional, clima social, consequências associadas ao desempenho etc.

- **Motivação**: Razões que justificam o esforço do indivíduo no trabalho, geralmente decorrente da forma como as pessoas percebem o contexto, em termos, por exemplo, de compatibilidade das metas individuais com as organizacionais, do valor atribuído pelo indivíduo às recompensas organizacionais etc.
- **Capacidades**: Repertório de conhecimentos, habilidades e atitudes necessários para o desempenho adequado de determinada atividade humana.

Suponha que um chefe de uma unidade organizacional solicite à área responsável pela coordenação de ações de TD&E um programa de treinamento com o intuito de que seus funcionários passem a desempenhar melhor suas atividades. Caso essa demanda não seja devidamente analisada, talvez o programa de treinamento pouco contribua para solucionar a problemática. A fim de evitar esse risco, a equipe incumbida de coordenar as ações educacionais decide investigar a demanda mais detalhadamente. Após uma série de entrevistas com os colaboradores que, segundo o chefe solicitante, deveriam participar da ação educacional, as seguintes situações explicativas para o problema em análise foram identificadas. Veja-as em seguida, bem como os resultados das análises realizadas e as soluções propostas (Quadro 2.1).

QUADRO 2.1 Análise de problemas de desempenho

Situações	Causas	Consequências	Soluções
1. Os funcionários estavam insatisfeitos com o estilo de gerenciamento adotado pela chefia	Condição: Estilo de gerenciamento inadequado	Motivação: Servidores insatisfeitos	Intervir na causa: Promover estratégias de desenvolvimento gerencial
2. Recentemente novas estratégias de trabalho foram adotadas, de forma que os funcionários, por não terem participado das negociações dessas estratégias, sequer as conheciam	Condição: Novas estratégias de trabalho implementadas	Capacidades: Desconhecimento de novas rotinas de trabalho	Intervir na consequência: Informar sobre nova rotina de trabalho

(Continua)

QUADRO 2.1	(Continuação)		
Situações	Causas	Consequências	Soluções
3. Os funcionários não reconheciam as tarefas e as atividades propostas pela chefia como importantes no desenvolvimento de novas capacidades profissionais	Condição: Tarefas pouco atraentes	Motivação: Baixa valorização das atividades	Intervir na causa: Designar tarefas adequadas às necessidades e aspirações profissionais dos funcionários
4. Os funcionários não dominavam o manuseio de ferramentas básicas de informática para realização dos trabalhos designados, o que gerava um alto grau de descontentamento com as atividades do setor	Capacidades: Falta de domínio de ferramentas de trabalho	Motivação: Descontentamento com as atividades designadas	Intervir na causa: Promover estratégias de atualização profissional
5. Os funcionários não tinham retorno quando desempenhavam bem ou mal suas atividades, de forma que cumpriam suas obrigações sem se preocuparem com a qualidade dos trabalhos	Condição: Falta de retorno sobre atividades	Motivação: Desinteresse pela manutenção da qualidade dos trabalhos	Intervir na causa: Realizar reuniões periódicas para orientar os funcionários
6. O desinteresse dos funcionários pelas atividades do setor era tão elevado e antigo, que os funcionários estavam completamente desatualizados em relação às tarefas que deveriam executar	Motivação: Desinteresse dos funcionários pelas atividades do setor	Capacidades: Desatualização dos funcionários pelas atitudes do setor	Intervir na causa e, em seguida, na consequência: Enriquecer as atividades dos funcionários e prepará-los para sua adequada realização

Apesar de ter sido afirmado até o presente momento que somente os motivos dos problemas ou necessidades de desempenho é que devem ser levados em consideração, é possível observar, conforme Quadro 2.1, que a análise das demandas educacionais envolve também a determinação das consequências associadas aos motivos dos problemas ou necessidades. Isso porque em algumas situações, como no quarto exemplo apresentado, é mais adequado intervir na causa da problemática analisada, ao passo que em outras, como no segundo exemplo, a solução exige intervenção direta na consequência do problema. É importante chamar a atenção para o fato de que, apesar de os exemplos referidos (2 e 4) exigirem a proposição de estratégias educacionais como forma de resolver os problemas de desempenho, outras ações de cunho motivacional, como sugerido para as demais causas, também deverão ser implantadas.

> *Uma ação educacional é apenas uma das possíveis estratégias de resolução de problemas ou antecipação de necessidades de desempenho.* Quando esta ação se faz necessária, nem sempre ela deve ser a única adotada, tanto porque, como discutido anteriormente, uma situação problemática geralmente possui diversos antecedentes e consequentes. E esses fatores precisam ser devidamente identificados e analisados; caso contrário continuará a vigorar a crença de que ações de TD&E são capazes de resolver todo e qualquer tipo de problema de desempenho em contextos de trabalho.

A respeito das estratégias metodológicas para se realizar uma análise de demandas educacionais, recomenda-se que toda demanda passe pelo mesmo tipo de análise evidenciada no Quadro 2.1, de forma que fiquem claras as causas e as consequências dos problemas ou necessidade de desempenho da unidade. Entrevistas e análises documentais são técnicas que podem ser usadas alternadamente na realização de análises de demandas educacionais. De qualquer forma, considerando a extensão e a complexidade dos processos de trabalho e atribuições inerentes à área de Gestão de Pessoas, recomenda-se que os demandantes de ações de TD&E, dispersos em todas as unidades organizacionais, sejam orientados quanto aos procedimentos de solicitação de de ações educacionais.

Em outras palavras, sugere-se que a área de Gestão de Pessoas, ante o grande volume de demandas de treinamento geralmente constatado em ambientes organizacionais, configure-se como uma equipe de consultoria interna, responsável pela concepção de determinada solução e acompanhamento e orientação da implantação da mesma pelos representantes das unidades organizacionais. Algumas atribuições a serem cumpridas no caso de a área possuir tal estrutura de trabalho são apresentadas em seguida:

- **Concepção da estratégia de análise da demanda**: o Quadro 2.1 pode ser usado como estratégia de análise de demanda.
- **Educação para uso da estratégia**: os clientes ou parceiros devem ser instruídos sobre como analisar a demanda.
- **Utilização da estratégia pelo cliente**: os clientes devem ser instruídos a enviar os resultados das análises dos problemas e necessidades de desempenho.

- **Avaliação do trabalho do cliente**: cabe à área responsável pelas ações de TD&E julgar a pertinência da análise do problema de desempenho realizada pelos clientes e decidir sobre a pertinência ou não da solução educacional.

Para facilitar a consecução das etapas descritas, sugere-se a utilização do seguinte formulário, apresentado no Quadro 2.2. Vale atentar para o fato de que na própria estrutura da estratégia de análise concebida já foram inseridas as informações necessárias para que os clientes ou parceiros da equipe sejam instruídos sobre como participar e contribuir devidamente para a análise da demanda educacional.

QUADRO 2.2	Formulário para análise de demandas educacionais		
Situações	Causas	Consequências	Soluções
Descrição do problema, necessidade ou hiatos de capacidades	Motivos que determinaram o surgimento do problema ou da necessidade de desempenho	Consequências geradas pelo problema ou necessidade de desempenho	Alternativas para resolução do problema ou necessidade de desempenho
Descrição:	Descrição:	Descrição:	Descrição:

Somente após tal análise é possível projetar a melhor estratégia de intervenção. Mas a proposição dessa estratégia, no caso de ações de TD&E, não é suficiente para que o investimento seja garantido. É preciso ainda que outro conjunto de análise seja praticado, a fim de que a ação educacional seja efetiva não somente para os indivíduos que dela necessitam, mas para os grupos e equipes de trabalho de que fazem parte esses indivíduos, bem como para toda a organização. Nas seções seguintes essas análises são tratadas detalhadamente.

ANÁLISE ORGANIZACIONAL

Antes de iniciar as discussões sobre a análise organizacional, é importante mencionar que as análises tratadas nesta e nas duas próximas seções integram tecnicamente o processo de avaliação de necessidades de TD&E. A análise da demanda, apresentada na seção anterior, apenas representa uma alternativa de triagem de supostas demandas educacionais.

> *No caso de a área de TD&E atuar de forma antecipatória*, buscando projetar as necessidades de desempenho na organização, o processo de avaliação de necessidades deve ser realizado inicialmente com a análise organizacional e, posteriormente, com a consecução das análises de tarefas e da análise individual. *Em situações em que a área mencionada atua de forma reativa*, aguardando que as demandas de treinamento sejam apresentadas pelas unidades organizacionais, então a análise da demanda deve ser primeiramente realizada.

O motivo ou a justificativa do investimento em uma determinada ação de TD&E é a principal questão que conduz a realização de uma análise organizacional. Desta forma, tal análise deve ser concluída com a redação de uma justificativa que convença os tomadores de decisão de que o ação educacional é de fundamental importância para o aperfeiçoamento da capacidade de sobrevivência e competitividade organizacional. Para tanto, aspectos de cunho societal, organizacional e de grupos e equipes de trabalho devem ser levados em consideração. O Quadro 2.3 elucida fatores relevantes para cada um dos possíveis aspectos envolvidos na realização de uma análise organizacional.

Enquanto que na análise da demanda é investigado se uma ação de TD&E constitui a melhor solução para a problemática formulada, na análise organizacional, uma vez confirmada a adequação da estratégia sugerida, a preocupação recai sobre o detalhamento das causas que geraram a necessidade de realização da ação educacional. Trata-se, pois, de uma análise mais refinada dos motivos, dos problemas ou necessidades de desempenho, os quais, por certo, já contribuíram para a ampliação das lacunas dos CHAs dos funcionários.

As respostas a essas perguntas permitirão, assim, que parte da justificativa de uma ação educacional seja elaborada. Nessa primeira parte, o

QUADRO 2.3 — Aspectos relevantes em uma análise organizacional

Societal	Organizacional	Grupos
Mudanças tecnológicas, políticas, econômicas, legais, sociais e ecológicas, entre outras que afetam a vida da organização, seus negócios ou serviços.	Novos arranjos estruturais ou arquiteturas internas, o estabelecimento periódico de novos objetivos e estratégias organizacionais. Distribuição de recursos na organização, práticas de gestão de desempenho e de valorização das contribuições do profissional.	Novos objetivos, metas e processos de trabalho.

objetivo é convencer o nível decisório (responsável pela alocação de recursos em ações de TD&E) de que a ação é necessária para que os funcionários sejam capazes de auxiliar a organização a se adaptar às transformações de cenário societal, organizacional e de grupos e equipes e, com isso, aumentar suas forças competitivas.

Apesar da relevância dos aspectos motivadores das demandas de qualificação, isso não é suficiente para que se consiga convencer os grupos decisores sobre a necessidade e a utilidade do programa de TD&E. É preciso, ainda, que sejam definidos os principais efeitos da ação educacional no nível de grupos e da organização. Como consequência dessas providências, obtém-se o alinhamento entre as necessidades da ação educacional, as metas e os objetivos estratégicos da organização, entre outros aspectos tradicionalmente explicitados em planejamentos estratégicos. Essa é a segunda parte que deve compor a redação de uma justificativa de ações educacionais.

Resta saber, entretanto, quais aspectos devem ser levados em consideração na promoção do alinhamento mencionado. Para tanto, é preciso que seja identificada a dimensão do desempenho organizacional ou de grupos e equipes a ser enfatizada na ação de TD&E. Apesar de tal articulação assumir configurações específicas de acordo com cada ação de treinamento e cada contexto organizacional, algumas unidades de resultados organizacionais podem ser visualizadas a seguir:

- **Financeiros**: indicadores de lucratividade e rentabilidade.
- **Bens/Produtos/Serviços**:
    - Quantidade: produtividade por empregado.
    - Qualidade: satisfação dos clientes, tempo de produção.
    - Variedade: inovação de produtos e serviços.
- **Processos**: sistemas de comunicação, tempo de produção, tempo de decisão.
- **Recursos**:
    - Materiais: estoque, desperdícios.
    - Pessoais: absenteísmo, satisfação dos empregados.

Descritas as alterações de cenário que ampliaram as lacunas de CHAs nos funcionários de determinadas unidades de trabalho, bem como os possíveis resultados organizacionais associados à ação de TD&E que se faz necessário, é preciso, por fim, identificar as variáveis contextuais capazes de restringir ou potencializar a emergência desses resultados, ou até mesmo explicá-los conjuntamente ou na ausência da ação de treinamento. Entre os principais motivos dessa análise, destacam-se: a preparação do ambiente organizacional para que os efeitos da ação no desempenho organizacional possam ser observados; a preparação da ação para auxiliar os alunos a enfrentarem contextos pouco receptivos às suas novas habilidades; e o delineamento da avaliação do impacto da ação nos resultados organizacionais.

> Entre as variáveis de contexto a serem levadas em consideração, organizadas a partir de níveis de análise específicos, destacam-se as seguintes: (i) *Contexto de Trabalho*: suporte psicossocial e suporte material; (ii) *Contexto Organizacional*: clima organizacional, suporte tecnológico e estrutural, suporte organizacional; e (iii) *Contexto Ambiental*: mudanças tecnológicas, políticas, econômicas, legais, sociais, ecológicas.

De posse desses três conjuntos de informações – descrição de cenário, resultados e variáveis contextuais –, para finalizar a realização da análise organizacional, basta utilizá-los na redação de uma justificativa do programa de TD&E. Veja a seguir o exemplo de uma justificativa de uma ação educacional, produto de uma análise organizacional (Quadro 2.4). Trata-se

QUADRO 2.4	Exemplificação de justificativa de programa de treinamento
Causa: A partir de um programa de reestruturação organizacional, decidiu-se pela criação de uma área específica de gestão de pessoas responsável pela identificação, planejamento e avaliação de ações de TD&E corporativas. Cabe à área a articulação dos programas educacionais com a estratégia da organização. Visto que tal articulação exige conhecimentos sobre processos de avaliação de necessidades educacionais, em especial no tocante à análise organizacional, uma ação de treinamento sobre essa análise torna-se fundamental para a nova equipe de TD&E.	
Resultados Organizacionais Esperados: Após a ação educacional, espera-se que a área seja capaz de alinhar os programas de TD&E com as necessidades de desempenho organizacional e de unidades de trabalho. Espera-se também que a área seja capaz de realizar um número maior de avaliações do impacto de treinamento nos resultados organizacionais, a fim de demonstrar a contribuição das ações de TD&E para a promoção do desempenho e da efetividade da organização.	
Variáveis Contextuais: Apesar do vínculo entre treinamento e estratégia organizacional, a admissão de novos funcionários pela área pode contribuir também para a observação dos efeitos estipulados. De outra forma, os resultados associados às ações de treinamento poderão ser explicados ou em função da adoção da solução educacional ou da admissão de funcionários com capacidades técnicas suficientes para a realização de análises organizacionais, ou mesmo a partir de ambas as iniciativas.	

de uma justificativa de uma ação de treinamento que visa capacitar os funcionários de uma determinada organização para realizarem análises organizacionais em processos de avaliação de necessidades educacionais. Para fins didáticos, os três conjuntos de informação mencionados foram redigidos separadamente. Na prática, esses conjuntos podem ser agrupados em um único texto.

ANÁLISE DE TAREFAS

Geralmente a análise de tarefa assume, como ponto de partida na definição dos CHAs requeridos para o bom desempenho humano no trabalho, as atividades contempladas em cargos, postos de trabalho, papéis ocupacionais e, mais recentemente, nos espaços ocupacionais. Analisados os contextos de trabalho, os objetivos organizacionais de curto, médio e longo prazos e os espaços ocupacionais a serem utilizados como foco da análise de tarefas, é preciso, então, identificar os conjuntos de CHAs necessários ao desempenho exemplar no trabalho. Para tanto, recomenda-se que os passos descritos a seguir sejam devidamente cumpridos.

a) **Detalhamento das atribuições e responsabilidades ocupacionais:** o objetivo desta etapa é caracterizar completamente as atividades realizadas pelos indivíduos. As descrições devem incluir, pelo menos, informações sobre o que os indivíduos fazem, para quem o fazem, como ou com que fazem e por que o fazem. Veja o exemplo a seguir de uma descrição de atribuições e responsabilidades relacionadas à ação educacional justificada anteriormente (Quadro 2.5).

Anteriormente à discussão e exemplificação da realização da próxima etapa, é preciso que sejam consideradas as definições, as vantagens e desvantagens dos procedimentos e estratégias de coleta de informações sobre atribuições e responsabilidade ocupacionais. Assim, a seguir, algumas estratégias e procedimentos são apresentados:

1. **Análise documental**: constitui-se na primeira estratégia a ser empregada, mas somente quando as descrições de cargos ou os catálogos de capacidades representarem adequadamente as responsabilidades e atribuições ocupacionais enfocadas. Caso, porém, as informações que constituírem tais documentos forem imprecisas ou insuficientes, outros conjuntos de procedimentos devem ser utilizados.
2. **Observação participativa**: estratégia que exige um acompanhamento presencial, por um avaliador qualificado, da rotina de

QUADRO 2.5	Exemplificação de descrição de atribuições e responsabilidades

Atribuições e Responsabilidades
- **O que:** realizam análises organizacionais, identificando as causas da necessidade, os resultados esperados do programa de treinamento e as variáveis contextuais interferentes.
- **Para quem:** para as áreas demandantes e a organização.
- **Como:** a partir da realização de grupos focais com integrantes das áreas solicitantes.
- **Por que:** a fim de que as ações de TD&E sejam articuladas à estratégia da organização e de suas unidades e, ainda, para permitir a realização de avaliações de programas de treinamento no nível de resultado organizacional.

Redação Final
A partir da realização de grupos focais com integrantes das áreas solicitantes, são feitas análises organizacionais para essas áreas e para a organização, identificando as causas da necessidade, os resultados esperados do programa de treinamento e as variáveis contextuais interferentes, a fim de que as ações de TD&E possam ser mais bem articuladas à estratégia da organização e de suas unidades e, ainda, para permitir a realização de avaliações de programas de treinamento no nível de resultado organizacional.

trabalho de determinado profissional. Durante a observação, o avaliador deve questionar o profissional, a qualquer momento, sobre as tarefas e atividades em execução, de modo que sejam esclarecidas quaisquer dúvidas em relação ao processo de trabalho. Diferentemente da observação simples, que não exige contato verbal entre avaliador e avaliado, essa estratégia é recomendada, principalmente, para tarefas de natureza intelectual, cujos produtos não são tão facilmente percebidos como em tarefas predominantemente braçais. Vale ressaltar que essa estratégia demanda grande quantidade de tempo para que as descrições sejam completamente detalhadas.

3. **Entrevista:** visto que a observação demanda investimentos humanos consideráveis para sua execução, a entrevista constitui alternativa menos onerosa para a obtenção de descrições adequadas de atribuições e responsabilidades ocupacionais. Podendo ser aplicada individualmente ou em grupos homogêneos (cargos e funções similares, por exemplo), essa técnica exige apenas que o entrevistador, além de dominá-la satisfatoriamente, utilize um guia para sua condução. Para tanto, uma vez que o objetivo da etapa em questão refere-se à descrição de determinadas atribuições, recomenda-se o uso dos tópicos "o que fazem", "para quem

fazem", "como fazem" ou "com que fazem" e "por que o fazem" para orientação do processo de entrevista.
4. **Incidentes críticos**: em alguns casos, a realização de observação ou de entrevistas pode ser dificultada, por exemplo, pelo fato de as pessoas, por desconhecimento de todo o processo produtivo para o qual contribuem, ou mesmo devido ao grande número de pessoas envolvidas no processo de trabalho em análise, não conseguirem apresentar descrições satisfatórias de suas atribuições e responsabilidades. Neste caso, a técnica de levantamento de incidentes críticos representa alternativa viável. Podendo ser aplicada individualmente ou em grupos homogêneos (cargos e funções similares, por exemplo), a técnica objetiva a coleta de relatos verbais ou por escrito de situações extremadas que exemplifiquem a execução das rotinas de trabalho dos participantes. Alguns exemplos de orientações que podem ser utilizadas na aplicação da técnica: (1) descreva uma situação em que suas atribuições e responsabilidades foram executadas com sucesso; (2) descreva uma situação em que suas atribuições e responsabilidades não foram adequadamente cumpridas. De posse das respostas dos participantes a essas duas solicitações, resta, a partir dos conteúdos expostos, proceder à descrição das atribuições e responsabilidades da ocupação em foco.

Como observado, qualquer um dos procedimentos acima destacados, desde que considerados seus propósitos, vantagens, desvantagens e pertinência frente à natureza do papel ocupacional em análise, pode ser útil no detalhamento das atribuições e responsabilidades profissionais. Além da natureza do papel ocupacional em questão, outro fator condiciona a escolha das estratégias de coleta de dados, a saber, os próprios indivíduos que executam tais papéis, tanto em termos quantitativos como qualitativos.

Em relação ao número de participantes, quanto mais funcionários estiverem envolvidos no processo de trabalho, mais sensata a utilização de técnicas de menor contato entre o avaliador e o avaliado (análise documental) ou de estratégias que permitam a participação de vários indivíduos ao mesmo tempo (entrevistas e incidentes críticos). Em outros casos, principalmente em processos de projeção de necessidades educacionais, talvez sequer existam indivíduos na organização capazes de contribuir para a descrição das atividades, as quais, por sua vez, estão sendo prospectadas. Nessas situações, os responsáveis pelo detalhamento das atribuições e responsabilidades deverão localizar, no mercado (outras organizações, universidades etc.), indivíduos que já executem ou pesquisem as tarefas em análise.

Entretanto, a seleção das estratégias não depende somente do quantitativo de profissionais envolvidos com as tarefas em análise. As características sociodemográficas e funcionais dos profissionais amostrados também devem ser levadas em consideração. Imagine a utilização de observação participativa junto a profissionais lotados em áreas ou departamentos dispersos geograficamente. Neste caso, por exemplo, haja vista limitações orçamentárias ou humanas, talvez a utilização de questionários com questões abertas, aplicados via *intranet* ou *internet*, seja mais recomendada. De qualquer forma, independentemente da estratégia selecionada, vale novamente destacar que os seguintes questionamentos devem ser respondidos: "o que fazem", "para quem fazem", "como fazem" ou "com quê fazem" e "por que o fazem". Somente assim é possível que a próxima etapa seja devidamente vencida.

b) **Descrição dos CHAs:** definidas as atribuições e responsabilidades ocupacionais, passa-se à descrição dos conjuntos de conhecimentos (corpo organizado de informações requerido para o desempenho de alguma atividade), habilidades (atividades de cunho psicomotor ou cognitivo) e atitudes (conjuntos de crenças, normas, valores e regras que orientam o comportamento individual em situações variadas, inclusive no trabalho) necessários ao adequado desempenho no trabalho.

> Essas descrições precisam valer-se da utilização de verbos de ação mensuráveis, concretos e observáveis; *caso contrário será impossível estimar a complexidade das capacidades que deverão ser desenvolvidas na solução educacional demandada.*

Tendo sido especificadas as atribuições e as responsabilidades inerentes à atividade enfocada, no caso exemplificado, relacionadas às atividades de avaliação de necessidades no nível organizacional, conforme descrito no passo "a", é preciso que os CHAs necessários ao adequado desempenho do processo de trabalho sejam identificados e relacionados. Vale ressaltar que as descrições dos CHAs devem obedecer, se possível, à lógica de execução do processo de trabalho em análise.

Assim, de posse das atribuições e responsabilidades, é preciso, primeiramente, que especialistas no papel ocupacional enfocado sejam localizados. Como o objetivo final desta etapa é relacionar os CHAs exigidos para que determinadas atividades possam ser executadas de maneira exemplar, recomenda-se que especialistas nas atividades relatadas sejam envolvidos nesta etapa. Isso porque os CHAs a serem detalhados precisam, necessariamente, garantir os mais altos níveis possíveis de desempenho. Observe o exemplo desenvolvido a partir das atribuições e responsabilidades apresentadas no passo "a" (Quadro 2.6).

| QUADRO 2.6 | Exemplificação de descrições de CHAs |

Descrição dos CHAs
1. Identificar os motivos de problemas ou necessidades de desempenho.
2. Classificar os motivos de problemas ou necessidades de desempenho (condição, motivação e habilidades).
3. Identificar as causas que contribuíram para a ampliação das lacunas de habilidades nos colaboradores (societais, organizacionais e grupos e equipes de trabalho).
4. Definir os resultados organizacionais associados a ações de TD&E.
5. Identificar fatores contextuais capazes de restringir ou potencializar os resultados de uma ação de TD&E.
6. Redigir justificativas de ações educacionais.

Como percebido, todas as descrições apresentadas referem-se a habilidades intelectuais que os colaboradores, direta ou indiretamente vinculados ao processo de avaliação de necessidades educacionais, deverão dominar. Essas descrições, invariavelmente, devem ser iniciadas por um verbo de ação no infinitivo (p. ex., redigir) e serem seguidas de um objeto de ação que represente adequadamente o conteúdo a ser desenvolvido durante determinada ação de TD&E.

Esses dois componentes – verbo e objeto de ação – constituem o cerne da descrição de um desempenho humano no trabalho. Para que as descrições sejam então adequadas, a ponto de servirem de insumos para a etapa de planejamento instrucional, momento em que as descrições de CHAs são transformadas em objetivos educacionais, os verbos de ação devem sempre refletir desempenhos observáveis, concretos e mensuráveis. A utilização de verbos abstratos ou imprecisos não permite a correta identificação da complexidade dos CHAs relacionados, como mencionado. Veja, a seguir, alguns exemplos de verbos considerados concretos e abstratos (Quadro 2.7).

> No caso de dúvidas sobre a adequação do verbo de ação, *pergunte-se como o indivíduo demonstrará, para você, o comportamento que dele se espera.* Caso duas respostas sejam possíveis, o verbo não poderá ser considerado concreto e mensurável sem dubiedade.

Por exemplo, suponha que você tenha redigido a seguinte descrição de um conhecimento relacionado à etapa de avaliação de necessidades educacionais: compreender (verbo de ação) o processo de avaliação de necessidades (objeto de ação). Agora se pergunte como o indivíduo demonstrará concretamente que ele compreende o referido processo. Res-

QUADRO 2.7	Verbos recomendados e não recomendados
Verbos Concretos – Recomendados	**Verbos Abstratos – Não Recomendados**
Identificar	Crer
Descrever	Apreciar
Demonstrar	Saber
Assinalar	Compreender
Escolher	Conscientizar
Executar	Conhecer
Definir	Reconhecer
Avaliar	Pensar
Decidir	Raciocinar
Classificar	Entender
Escrever	Desfrutar
Aplicar	Sensibilizar

pondendo ao questionamento, o indivíduo pode demonstrar que compreende o processo de formas bem diferenciadas: (i) listando as análises (organizacional, de tarefas e individual) que devem ser executadas; (ii) explicando cada uma das análises que devem ser executadas; (iii) realizando cada uma das três análises que integram a avaliação de necessidades etc. Observe que a primeira resposta constitui capacidade menos complexa que a última, de forma que, se o verbo der margem à dúvida, não será possível, na etapa de Planejamento de Ações de TD&E, projetar adequadamente as ações de treinamento.

Retomando as atividades inerentes à etapa de descrição dos CHAs, após a localização dos especialistas no papel ocupacional em detalhamento, é preciso que sejam selecionadas estratégias de coleta de dados mais apropriadas para cada situação. Entre as estratégias disponíveis, três merecem destaque: grupos focais, técnica *delphi* e técnica dos incidentes críticos. Ao passo que a realização de grupos focais e a utilização da técnica dos incidentes críticos são mais recomendadas para ocasiões em que os especialistas podem ser reunidos em um único local, a técnica *delphi* costuma ser mais utilizada quando os especialistas encontram-se dispersos geograficamente.

De qualquer forma, em ambas as estratégias o objetivo permanece o mesmo: descrever os CHAs necessários para que determinadas atividades e atribuições sejam adequadamente desempenhadas. Assim, para que os especialistas possam contribuir definitivamente com essa etapa, antes de qualquer coisa, é imprescindível que eles sejam orientados sobre os procedimentos e técnicas a serem empregados. Precisam, portanto, ser informados acerca dos seguintes itens:

- **Propósito**: os especialistas precisam compreender, de preferência anteriormente à realização dos encontros, os objetivos do evento. Neste momento, recomenda-se que o relato das atribuições e responsabilidades, a partir do qual os CHAs serão descritos, seja apresentado. Essa informação é o ponto de partida para a realização de todas as atividades previstas na análise de tarefas.
- **CHA**: os participantes, antes da estratégia em si começar a ser aplicada, precisam ser capazes de descrever e diferenciar os conceitos de conhecimento, habilidade e atitude, a fim de que consigam descrevê-los de forma adequada.
- **Desempenho**: os especialistas também devem saber como os CHAs devem ser descritos, em termos comportamentais, de forma que reflitam desempenhos humanos em contextos de trabalho. Devem, portanto, ser apresentadas, discutidas e exemplificadas as partes que integram uma descrição de desempenho (verbo e objeto de ação).
- **Verbos**: é recomendado que os participantes disponham de uma relação de verbos concretos que expressem manifestações de conhecimentos, habilidades e atitudes.

Explicados cada um dos tópicos para os participantes, a estratégia propriamente dita pode ser iniciada. Ao final deste processo, tem-se um rico detalhamento dos espaços ocupacionais e das capacidades necessárias à sua execução, em termos comportamentais (CHA), de forma que apenas será necessário, para que a análise de tarefas seja realmente finalizada, proceder à determinação da relevância de cada CHA descrito.

c) **Determinação da relevância dos CHAs***: considerando que os CHAs, na etapa anterior, foram listados e descritos por especialistas nas atribuições e responsabilidades focadas, e não pelos funcionários realmente envolvidos com o papel ocupacional analisado, é impossível garantir que todos os comportamentos (CHA) sejam necessários da mesma forma a todos os indivíduos que contribuem para o mesmo processo de trabalho. É por este motivo que a relevância dos CHAs para cada indivíduo integrante do processo de trabalho considerado precisa ser identificada.

---

*N. de R.T. Os procedimentos para determinação da relevância dos CHAs, e também, como discutido na seção seguinte, da importância destes e dos respectivos índices de prioridade de treinamento, foram extraídos da metodologia proposta por: Borges-Andrade, J. E., & Lima, S. M. V. (1983). Avaliação de necessidades de treinamento: um método de análise de papel ocupacional. Tecnologia Educacional, 12(54), 5-14.

Esse processo de determinação da relevância de cada CHA descrito é relativamente simples. Basta que as descrições comportamentais elaboradas por especialistas na etapa anterior sejam dispostas em um instrumento de pesquisa de forma que, a partir da utilização de uma escala de julgamento de importância (por exemplo, 1=nada importante a 5=muito importante), os participantes possam determinar a relevância de cada CHA. A seguir é apresentado um exemplo de instrumento de identificação da relevância de CHA (Quadro 2.8).

Apesar de, didaticamente, a determinação da importância dos CHAs por cada indivíduo envolvido no processo de trabalho em análise ter sido discutida na presente seção, na prática essa etapa geralmente é cumprida simultaneamente com a seguinte, relativa à análise individual de necessidades educacionais, momento em que são identificados os hiatos de capacidades.

ANÁLISE INDIVIDUAL

A última análise a ser executada concerne à análise individual. Essa análise, além de identificar as pessoas que precisam participar de ações educacionais, pode ser utilizada para avaliar se os colaboradores possuem os pré-requisitos, em termos de conhecimentos, habilidades e atitudes, necessários ao efetivo aproveitamento dos conteúdos da ação de treinamento. Não reconhecer esses pré-requisitos implica na composição de turmas completamente heterogêneas No caso de programas de natureza

QUADRO 2.8	Exemplificação de formulário para identificação da relevância de CHA

Determinação da Relevância dos CHAs					
	Importância para o Desempenho				
CHAs Necessários	1 nada	2	3	4	5 muito
1. Identificar motivos de problemas ou necessidades.					
2. Classificar os motivos das necessidades de desempenho.					
3. Identificar as causas que contribuíram para a ampliação das lacunas de habilidades.					
4. Definir os resultados organizacionais.					
5. Identificar fatores contextuais inerentes a ações de TD&E.					
6. Redigir justificativas de ações educacionais.					

predominantemente cognitiva, situações assim dificultam o desenvolvimento eficaz das ações. Geralmente, quando há diferenças drásticas no domínio de pré-requisitos, os instrutores tendem a nivelar os cursos ou reduzindo a complexidade dos objetivos ou tornando-os ainda mais complexos, gerando problemas de motivação nos participantes.

Analisados então os aspectos restritivos e facilitadores do desempenho individual e os objetivos atuais e futuros da organização (análise organizacional), bem como detalhados os espaços ocupacionais e as capacidades requeridas (análise de tarefas), é preciso identificar que pessoas ou grupos necessitam desenvolver quais CHAs por meio de ações educacionais (análise individual). Torna-se necessário identificar as discrepâncias ou hiatos de desempenho, por meio da obtenção de dados quantitativos sobre a diferença entre os níveis atuais e desejados de proficiência associados às atividades e tarefas enfocadas.

Uma das estratégias mais utilizadas para a realização de análises individuais consiste na investigação, junto aos funcionários, do grau de domínio de cada um dos CHAs descritos na análise de tarefas. Desta forma, somente é preciso acrescentar à pesquisa de determinação da relevância dos CHAs, como discutido na seção anterior, uma outra para determinação do domínio de cada atributo. O procedimento, portanto, é o mesmo. A diferença reside no fato de que a escala utilizada para avaliação do grau de domínio das capacidades é composta por julgamentos diferenciados. Ao passo que, na determinação de importância (análise de tarefas), o valor 1 representa a opinião "nada importante" e o valor 5, "muito importante", na determinação do grau de domínio (análise individual), 1 corresponde a "não domino" e 5, a "domino completamente".

A seguir, o exemplo exposto na etapa de análise de tarefas, relativo à determinação da relevância dos CHAs necessários à realização de análises organizacionais em processos de avaliação de necessidades educacionais, é novamente apresentado, mas, agora, com a inclusão da identificação do domínio dos CHAs. (Quadro 2.9).

Após a aplicação do instrumento em todos os funcionários envolvidos no processo de trabalho estudado, é preciso que alguns cálculos sejam realizados, a fim de que sejam estabelecidas as prioridades educacionais. Isso porque não é possível partir da premissa de que todas as capacidades precisarão ser desenvolvidas da mesma forma por todos os indivíduos. Em um mesmo processo de trabalho, certos indivíduos precisarão desenvolver, em maior ou menor grau, algumas capacidades, em comparação a outros indivíduos. É preciso, pois, que se chegue a um consenso. Mais especificamente, este consenso refere-se aos CHAs que a maioria dos participantes necessita desenvolver.

QUADRO 2.9	Exemplificação de formulário para identificação da relevância e do domínio de CHA para funcionários

Análise de Lacunas de CHAs

Prezado funcionário, o presente questionário tem como objetivo identificar suas lacunas de CHAs em relação às atividades que você executa nesta organização, a fim de que a área de gestão de pessoas possa estabelecer as condições necessárias para que você possa desenvolver-se pessoal e profissionalmente. Suas respostas serão tratadas de forma agrupada. Para avaliar os itens que se seguem, por favor, utilize as duas escalas apresentadas (importância e domínio), assinalando suas respostas nas colunas à direita das afirmativas.

Escala de Importância

1	2	3	4	5
Nada				Muito

Escala de Domínio

1	2	3	4	5
Não domínio				Domínio completamente

CHAs Necessários	Importância	Domínio
1. Identificar motivos de problemas ou necessidades.		
2. Classificar os motivos das necessidades de desempenho.		
3. Identificar as causas que contribuíram para a ampliação das lacunas de habilidades.		
4. Definir os resultados organizacionais.		
5. Identificar fatores contextuais inerentes a ações de TD&E.		
6. Redigir justificativas de ações educacionais.		

Para tanto, a fim de que as prioridades educacionais possam ser estabelecidas, a seguinte fórmula deve ser aplicada:

$$IP = \frac{\sum [I(5-D)]}{n}$$

Onde:
IP = índice de prioridade
I = importância da habilidade
D = domínio da habilidade
n = número de respondentes

Visando à correta aplicação da fórmula apresentada, os seguintes passos devem ser cumpridos:

a) (5 – D): inverter as respostas de cada participante sobre o domínio dos CHAs listados. Todas as respostas de valor 1 devem ser transformadas em respostas de valor 5. As respostas do tipo 2 devem ser transformadas em respostas do tipo 4. As respostas de valor 3 permanecem as mesmas. Respostas do tipo 4 devem ser transformadas em respostas do tipo 2 e, por fim, respostas de valor 5 devem ser transformadas em respostas de valor 1.
b) I (5 – D): após as respostas de domínio de cada participante terem sido invertidas, é preciso que essas respostas sejam, agora, multiplicadas pelas respostas sobre a importância dos CHAs descritos.
c) $\sum$ I (5 – D)/n: os resultados da multiplicação das respostas de cada indivíduo sobre o grau de importância e domínio de cada CHA devem, então, ser somados e o valor obtido deve ser dividido pela quantidade de participantes consultados na pesquisa. O índice gerado representa a prioridade de treinamento do item analisado, de forma que quanto maior o valor, maior a necessidade educacional.

No caso da utilização de escalas de "domínio" e "importância" de CHA compostas por 5 opções de resposta, conforme apresentado no exemplo anterior, a aplicação da fórmula para o cálculo do índice de prioridade de treinamento (IP) pode resultar em valores variando entre 1 e 25 pontos. É preciso ressaltar que a aplicação da fórmula para o cálculo do IP exige que as respostas à escala de domínio da habilidade sejam invertidas, conforme explicitado anteriormente. Veja a seguir os significados destes dois escores extremos:

- **IP 1**: indica uma *competência* que é *nada importante* (1=nada importante) e *totalmente dominada* pelos participantes (1=domino completamente);
- **IP 25**: indica uma *competência que é muito importante* (5=muito importante) e *não dominada* pelos participantes (5=não domino).

Como ações educacionais são recomendadas para CHAs muito importantes e pouco dominados, quanto maior o IP, maior será a necessidade de se implementar uma determinada ação de TD&E. Em linhas gerais, pode-se dizer que IP maiores do que 16, que indicam capacidades importantes e muito pouco dominadas, exigem atenção especial no que diz respeito ao desenvolvimento e à execução de ações educacionais. Assim, a partir do cálculo dos IP para cada item apresentado no questionário, é possível que turmas homogêneas, em termos de domínio prévio de CHA, sejam formadas. Somente assim é possível que estratégias, meios e procedimentos instrucionais sejam devidamente selecionados, a fim de que o processo de ensino-aprendizagem possa ser realmente benéfico para todos os participantes. Esses tópicos serão discutidos no Capítulo 3, referente à etapa de planejamento de ações educacionais. Antes, entretanto, são expostas algumas alternativas metodológicas para a realização de uma avaliação de necessidades educacionais.

ALTERNATIVAS METODOLÓGICAS

Como discutido, o processo de avaliação de necessidades de TD&E deve ser executado a partir de três análises principais: a análise organizacional, cujo foco consiste na articulação da ação educacional com o contexto organizacional; a análise de tarefas, que tem com objetivo vincular a ação educacional com os processos de trabalho de determinada unidade organizacional e com as atribuições e atividades desempenhadas cotidianamente pelos funcionários; e a análise individual, que busca localizar que indivíduos ou grupos de indivíduos necessitam de quais ações educacionais. A partir dessas análises, é possível então elevar as chances de que os programas de TD&E gerem resultados positivos nos desempenhos dos funcionários, do processo de trabalho para o qual esses funcionários contribuem e, principalmente, para as organizações que investiram em tais programas.

> Negligenciar a *análise organizacional* implica na redução das chances de que determinado programa de TD&E impacte positivamente nos resultados estratégicos perseguidos pelas organizações. No caso da *análise de tarefas*, negligências ou falhas processuais acarretam no baixo impacto dos programas de TD&E nas atividades desempenhadas por equipes e indivíduos. E *análises individuais* mal realizadas conduzem ao baixo aproveitamento da ação educacional, visto que o programa instrucional, neste caso, será projetado sem que se conheça ao certo o grau de domínio de pré-requisitos relacionados aos conteúdos demandados.

Para que as ações possam então ser devidamente aproveitadas por indivíduos, equipes e organizações, as três análises são de fundamental importância. Porém, nem sempre essas análises podem ser adequadamente realizadas, por uma série de motivos de ordem técnica, contextual, política etc. Nesses casos, algumas alternativas de trabalho, conforme discutido em seguida, podem ser desenvolvidas. Apenas vale ressaltar, anteriormente à apresentação dessas alternativas, que quaisquer alterações nas atividades exigidas em cada uma das três análises ora discutidas exigem do profissional de TD&E domínio pleno das teorias e metodologias disponíveis na literatura acadêmica e profissional. Caso o leitor deseje ter acesso a essas bases teórico-metodológicas, recomenda-se a leitura do livro *Treinamento, desenvolvimento e educação em organizações e trabalho: fundamentos para a gestão de pessoas* (Borges-Andrade, Abbad e Mourão, 2006).

Duas alternativas metodológicas são então apresentadas. A primeira consiste em uma adaptação do Método de Análise do Papel Ocupacional (Borges-Andrade e Lima, 1983), base dos textos apresentados nas seções relativas às análises de tarefas e individual. A segunda alternativa trata de uma nova estratégia para realização de avaliação de necessidades de TD&E em ambientes profissionais. Primeiramente, será foco de discussão a adaptação do Método de Análise do Papel Ocupacional.

Conforme observado, o método referido foi desenvolvido para facilitar a realização das análises de tarefas e individual, mas não organizacional. O processo de avaliação de necessidades, neste caso, é iniciado com a identificação dos CHAs e respectiva importância desses para o cumprimento adequado das atividades profissionais desempenhadas por determinados indivíduos, a fim de que, em seguida, na análise individual, possa ser determinado o grau de domínio dessas capacidades pelos prováveis treinandos. Realizadas essas duas análises, tem-se um determinado programa de TD&E articulado com o desempenho dos indivíduos no trabalho, mas não com os desempenhos esperados pelas unidades de trabalho ou mesmo pela organização como um todo. É preciso, pois, que pequenas adaptações sejam feitas.

Foi mencionado que, na análise individual, após os CHAs terem sido devidamente identificados e descritos, duas questões são apresentadas aos participantes do processo de avaliação de necessidades: o quanto eles julgam importantes as capacidades para a realização satisfatória de suas atividades; e o quanto eles acreditam dominar tais capacidades. O produto da multiplicação dos escores de domínio e importância, então, representaria os índices de necessidades de treinamento, mas apenas para os indivíduos.

> Como o processo não foi articulado com desempenhos mais elevados, *não há garantias de que a ação de TD&E surta efeitos nos grupos e equipes e na organização*. Para tanto, recomenda-se diversificar as fontes de avaliação.

Tradicionalmente, quando o levantamento de necessidade é feito segundo o Método de Análise do Papel Ocupacional, apenas os indivíduos que provavelmente precisam de determinada ação educacional é que respondem às pesquisas (autoavaliação). A fim de articular melhor determinado programa de TD&E também com os resultados delineados para grupos e para toda a organização, uma alternativa é contar com a participação de outros atores no processo de avaliação de necessidades (heteroavaliação), especificamente no que diz respeito ao julgamento da importância dos CHAs.

Ao passo que na autoavaliação os indivíduos são questionados sobre a importância (e também sobre o domínio) de uma série de CHAs para a realização de atividades de trabalho, na heteroavaliação a importância é julgada a partir de parâmetros relacionados ao desempenho do grupo ou da organização. Suponha então que você está realizando uma avaliação de necessidades na sua organização, a fim de constituir uma política de investimentos em ações de TD&E para o próximo biênio. Em certo momento, você deverá consultar os funcionários da organização sobre o quanto eles julgam importante as capacidades que você determinou a partir de consultas a especialistas. Você está ciente de que se somente os funcionários forem consultados, apenas o grau de vinculação das capacidades com as atividades por eles desempenhadas (importância) poderá ser determinado. Assim, você decide elaborar outro questionário, contendo as mesmas descrições de capacidades, para ser aplicado nos superiores desses funcionários.

Esse questionário destinado aos superiores (heteroavaliação) buscará compreender o grau de articulação das capacidades relacionadas com os processos de trabalho executados naquela unidade organizacional e, se possível, com o desempenho da organização. Assim, enquanto o questionário do funcionário contém os campos de julgamento da importância (para a atividade profissional) e do domínio das capacidades listadas, o questionário do superior, composto pelos mesmos itens, contém os campos de julgamento da importância das capacidades para a unidade de trabalho e para a organização. A forma de estruturação de ambos os questionários é a mesma; apenas precisam ser revistas as orientações e escalas de julgamento no caso do instrumento a ser aplicado junto aos superiores.

Não se recomenda perguntar para os superiores sobre o domínio das capacidades pelos funcionários, visto que em alguns casos são tantos os subordinados que julgamentos desse tipo seriam, no mínimo, imprecisos. O Quadro 2.10 ilustra novamente o exemplo já apresentado, mas agora estruturado para ser aplicado nos superiores de certos grupos de profissionais.

Com a aplicação desses dois questionários, é possível, então, vincular os programas de TD&E com o desempenho de indivíduos, grupos e organizações. Mas para isso, algumas alterações na fórmula para o cálculo das prioridades de treinamento precisam ser efetuadas. Lembre-se de que a fórmula apresentada apenas computava os escores de domínio e impor-

Manual de Treinamento Organizacional 53

| QUADRO 2.10 | Exemplificação de formulário para identificação da relevância e do domínio de CHA para gestores |

Análise de Lacunas de Capacidades

Prezado gestor, o presente questionário tem como objetivo contribuir para a definição da uma Política de Treinamento, Desenvolvimento e Educação de Pessoas para o próximo biênio. Para tanto, solicitamos sua colaboração no sentido de responder aos itens em seguida apresentados. Sua tarefa consiste em julgar o quanto os conhecimentos, as habilidades e as atitudes ora apresentados são relevantes para o cumprimento dos resultados de sua unidade de trabalho e da organização como um todo. Para avaliar os itens que se seguem, por favor, utilize a escala apresentada (importância), assinalando suas respostas nas colunas à direita das afirmativas. Vale ressaltar que suas respostas serão tratadas conjuntamente com os dados emitidos pelos funcionários da sua unidade de trabalho, que também serão consultados quanto ao domínio das capacidades aqui apresentadas e sobre a importância dessas capacidades para o adequado desempenho profissional.

Escala de Importância

1	2	3	4	5
Nada				Muito

Análise das Lacunas de Capacidades

CHAs Necessários	Importância	Domínio
	Para a organização	Para a unidade de trabalho
1. Identificar motivos de problemas ou necessidades.		
2. Classificar os motivos das necessidades de desempenho.		
3. Identificar as causas que contribuíram para a ampliação das lacunas de habilidades.		
4. Definir os resultados organizacionais.		
5. Identificar fatores contextuais inerentes a ações de TD&E.		
6. Redigir justificativas de ações educacionais.		

tância emitidos pelos funcionários (autoavaliação). É necessário, agora, incluir na fórmula também os escores de importância das capacidades, ante as necessidades da organização e das unidades de trabalho, emitidos pelos superiores (heteroavaliação). Neste caso, o fator I (importância da habilidade, na fórmula original), que representava apenas o julgamento de importância de cada um dos CHAs expostos pelo funcionário, deve ser substituído pela média dos seguintes escores: importância para as atividades atribuída pelo funcionário; importância para a unidade de trabalho atribuída pelo superior; e importância para a organização atribuída pelo superior. A fórmula alterada para o cálculo das prioridades de treinamento assume a seguinte configuração.

$$IP = \frac{\sum [I_m (5 - D)]}{n}$$

Onde:
IP = índice de prioridade
I_m = importância média
D = domínio da habilidade
n = número de autoavaliadores

Atente que o 'n' continua representado apenas pelo número de funcionários (autoavaliação) que participaram da pesquisa de avaliação de necessidades. A alteração incluída na fórmula, portanto, apenas se refere ao fator I, que deve ser calculado a partir do seguinte cálculo – média dos escores de importância atribuídos por auto e heteroavaliadores.

$$I_m = \frac{\sum (I_a + I_{no} + I_{nu})}{n}$$

Onde:
I_m = importância média
I_a = importância para o funcionário
I_{ho} = importância para a organização avaliada pelo superior
I_{hu} = importância para a unidade de trabalho avaliada pelo superior
n = número de auto-avaliadores

Conforme adaptações sugeridas no Método de Análise do Papel Ocupacional, seria possível projetar ações de TD&E mais bem alinhadas com a estratégia organizacional. Apesar das alterações propostas, nem sempre o referido método é de fácil aplicação em contextos organizacionais. Para que o método seja bem empregado, é fundamental, como discutido na etapa de análise de tarefas, que os CHAs associados a determinadas atividades sejam precisamente descritos. Imagine então que você tenha de realizar uma avaliação de necessidades junto a todas as unidades de trabalho que compõem sua organização. Agora tente imaginar a quantidade de descrições de capacidades que seriam geradas neste caso. Seriam tantas, talvez, que a gestão do processo em questão tornar-se-ia demasiadamente onerosa para áreas de gestão de pessoas que, além de contarem com um reduzido número de funcionários especializados, ainda têm de responder por outros tantos processos de movimentação, desenvolvimento e valorização de pessoas.

Em situações desse tipo, outra estratégia pode ser empregada. A ideia original que norteia a avaliação de necessidades permanece a mesma: projetar programas de TD&E articulado com as demandas de desempenho organizacional, de grupos e equipes e individual. Não se altera o propósito central do processo, apenas o método de realização deste. As sugestões explicitadas em seguida foram extraídas de uma solução de trabalho projetada pelos autores deste capítulo durante a implantação de uma universidade corporativa em uma instituição nacional de grande porte. Por esse motivo, a alternativa metodológica é apresentada na forma de relato de pesquisa com estruturas textuais bem diferenciadas daquelas até então expostas.

A fim de facilitar o processo de coleta e organização de necessidades de treinamento durante a implantação de uma universidade corporativa em uma organização nacional com sede em Brasília e filiais em todos os estados da federação, optou-se pelo desenvolvimento de um formulário eletrônico de registro de demandas educacionais composto por quatro partes distintas, porém complementares. Em um primeiro momento, a unidade de trabalho solicitante deveria ser identificada no formulário.

Em seguida, passava-se à descrição propriamente dita da necessidade de treinamento. Neste momento, alguns campos deveriam ser preenchidos. O primeiro solicitava que fosse indicada uma data limite para tratamento da necessidade identificada. Após tal preenchimento, era descrita, de maneira genérica, a área sobre a qual versava a necessidade de treinamento (p. ex., informática). Em seguida, essa necessidade era associada ao(s) objetivo(s) estratégico(s) da instituição e, então, priorizada em função da urgência de atendimento. Por fim, o formulário solicitava que fossem descritos os objetivos gerais (descrições de CHAs a serem desenvolvidos no projeto educacional) e os conteúdos programáticos de uma possível ação de TD&E potencialmente capaz de sanar as lacunas identificadas (Figura 2.2).

As necessidades educacionais eram descritas a partir de verbos condizentes com os resultados de aprendizagem integrantes das taxonomias de objetivos educacionais proposta por Bloom, Krathwohl e Masia (1972) para o domínio cognitivo. Os verbos estavam classificados por nível de complexidade do resultado de aprendizagem pretendido. Assim, uma necessidade complexa deveria corresponder a verbos que indicassem solução de problemas (análise, síntese e avaliação) e as mais simples a compreensão e aplicação de conceitos e regras (conhecimento, compreensão e aplicação).

Preenchidos os dados sobre a necessidade de treinamento, informações sobre a clientela potencial da ação educacional deveriam ser registradas no formulário. Além de um campo aberto, no qual quaisquer informações sobre os participantes poderiam ser relatadas, era preciso, ainda, informar se a clientela encontrava-se geograficamente dispersa, o número total estimado de participantes e o número de participantes por região,

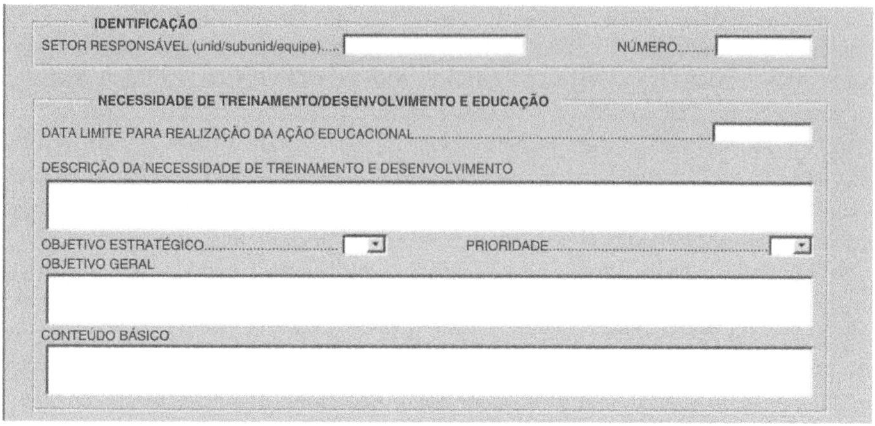

IDENTIFICAÇÃO
SETOR RESPONSÁVEL (unid/subunid/equipe).....
NÚMERO.........

NECESSIDADE DE TREINAMENTO/DESENVOLVIMENTO E EDUCAÇÃO
DATA LIMITE PARA REALIZAÇÃO DA AÇÃO EDUCACIONAL.........
DESCRIÇÃO DA NECESSIDADE DE TREINAMENTO E DESENVOLVIMENTO
OBJETIVO ESTRATÉGICO.........
PRIORIDADE.........
OBJETIVO GERAL
CONTEÚDO BÁSICO

FIGURA 2.2 Formulário eletrônico de registro de demandas educacionais: necessidade de treinamento.

caso a dispersão tivesse sido indicada anteriormente. Por fim, sugestões de programas de treinamento, de conhecimento das áreas solicitantes, poderiam ser incluídas no formulário (Figura 2.3).

Desenvolvido o formulário eletrônico de coleta de dados, a próxima etapa do processo de avaliação de necessidades consistiu no planejamento e implementação de um programa de treinamento destinado aos funcionários que coletariam, junto às unidades de trabalho da instituição estudada, as demandas educacionais.

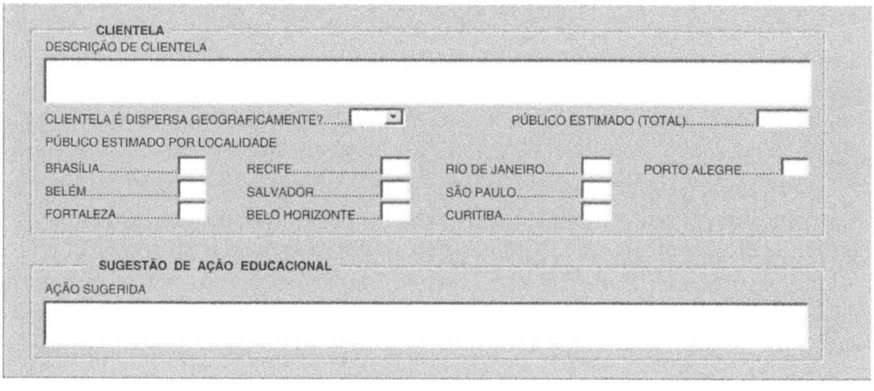

CLIENTELA
DESCRIÇÃO DE CLIENTELA
CLIENTELA É DISPERSA GEOGRAFICAMENTE?.......
PÚBLICO ESTIMADO (TOTAL).........
PÚBLICO ESTIMADO POR LOCALIDADE
BRASÍLIA.........
RECIFE.........
RIO DE JANEIRO.........
PORTO ALEGRE.........
BELÉM.........
SALVADOR.........
SÃO PAULO.........
FORTALEZA.........
BELO HORIZONTE.........
CURITIBA.........

SUGESTÃO DE AÇÃO EDUCACIONAL
AÇÃO SUGERIDA

FIGURA 2.3 Formulário eletrônico de registro de demandas educacionais e informações sobre a clientela potencial.

Como observado durante a explanação sobre a estratégia implantada, o processo de avaliação de necessidades foi alterado substancialmente do ponto de vista metodológico, a ponto de abarcar aspectos que tradicionalmente são enfatizados apenas na etapa de planejamento de ações de TD&E. Sobre as proposições contidas nos formulários, relacionadas especificamente à avaliação de necessidades, algumas merecem destaque. No Método de Análise do Papel Ocupacional, a vinculação da ação educacional com os objetivos organizacionais, de unidades de trabalho e individuais é conseguida, respectivamente, por meio dos julgamentos sobre a importância dos CHAs para a organização, para as unidades (heteroavaliação) e para os funcionários (autoavaliação).

Na alternativa desenvolvida durante a implantação da universidade corporativa, esses julgamentos foram substituídos por outros campos. Assim, o objetivo geral refere-se à descrição dos CHAs. Como será discutido no capítulo seguinte, um objetivo educacional é constituído, principalmente, pelo desempenho as ser desenvolvido durante a ação de TD&E, desempenho este que consiste no cerne das descrições de capacidades. Já os julgamentos de importância (auto e heteroavaliação) foram substituídos pelos campos objetivos estratégicos e prioridade, visto que pretendiam, respectivamente, coletar informações sobre o grau de vinculação com os resultados perseguidos pela organização e a urgência de tratamento das necessidades explicitada.

> Trata-se de uma *solução de fácil aplicação quando o escopo da avaliação de necessidades contempla todas as unidades* que compõem determinada estrutura organizacional. Mas, para tanto, é de fundamental importância que os clientes da área de gestão de pessoas sejam orientados sobre a forma precisa de preenchimento dos formulários de requisição de TD&E.

Deve ser enfatizado que essa metodologia não permite o cálculo de índices de prioridade de treinamento previsto no Método de Análise do Papel Ocupacional. No caso da solução desenvolvida para a universidade corporativa, a priorização das ações de TD&E foi estimada qualitativamente, em função dos seguintes critérios: vinculação com objetivo estratégico; prioridade; data limite para atendimento; e quantidade provável de treinandos. De qualquer forma, a alternativa produz informações suficientes para composição de políticas de investimentos em ações educacionais e, portanto, vale a pena ser considerada em casos particulares.

CONSIDERAÇÕES FINAIS

O objetivo deste capítulo consistiu na apresentação de estratégias de trabalho para a realização de processos mais bem sistematizados de avaliação de necessidades educacionais. Apesar do pouco avanço teórico-

-metodológico observado na literatura especializada em TD&E, conforme discutido por Borges-Andrade e Abbad (1996) e também por Pilati (2006), existem alternativas satisfatórias para a realização do processo mencionado. Essas alternativas, ainda que não estudadas sistematicamente, podem auxiliar consideravelmente os profissionais de TD&E na proposição de políticas de investimento em ações educacionais cujos resultados articulam-se mais precisamente com a estratégia corporativa.

Como enfatizado recorrentemente ao longo do capítulo, cabe à área responsável pelo processo de desenvolvimento pessoal e profissional dos colaboradores de determinada organização a proposição de programas de TD&E que impactem positivamente nos desempenhos executados pelos indivíduos, grupos e equipes e por toda a organização. Sem a devida realização da avaliação de necessidades, pouquíssimas serão as chances de que os investimentos em ações educacionais retornem para a empresa.

E isso provavelmente acontecerá porque, sem informações sobre os CHAs requeridos, bem como sobre a importância e o domínio destes, a etapa de planejamento de programas de TD&E, discutida no capítulo seguinte, não tem sequer como ser devidamente iniciada. Uma avaliação de necessidades bem conduzida gera informações sobre os desempenhos que deverão ser desenvolvidos em determinada ação educacional. Esses desempenhos consistem justamente nos CHAs julgados importantes e não dominados pelos funcionários da organização. Lembre-se de que as capacidades são descritas por meio do uso de verbos de ação mensuráveis e de objetos de ação compreensíveis, componentes que também são utilizados na composição de descrições de desempenho humano no trabalho.

Assim, avaliações de necessidades bem realizadas geram insumos fundamentais, aqui representados pelos CHAs (desempenhos) que devem ser adquiridos pelos funcionários, para o início do processo de planejamento de ações de TD&E. Esse processo, adiantando brevemente os conteúdos do próximo capítulo, é iniciado com a definição de objetivos educacionais, os quais são compostos pelas descrições dos desempenhos a serem desenvolvidos durante as ações educacionais. Em outras palavras, planejar um curso ou qualquer outro tipo de ação instrucional exige ciência do que se pretende desenvolver durante a ação. Não é por acaso que os programas de TD&E frequentemente implantados nas organizações são inócuos.

> Como na prática a concepção ou a aquisição de programas de treinamento não é precedida por avaliações de necessidades sistematizadas, *não há garantia alguma de que os conteúdos que serão desenvolvidos são relevantes para o contexto da organização e dos indivíduos.*

Nesses casos, as ações de TD&E não serão capazes de motivar os alunos ou de comprometê-los com o processo de ensino-aprendizagem, pois: Qual seria o sentido para o aluno de um curso que não tem vinculação alguma com as atividades dele naquela organização? E qual seria o sentido para a organização de um curso que não tem articulação alguma com os processos de trabalho ou os resultados estratégicos almejados? Caso nada faça sentido, são pouquíssimas, quando não nulas, as chances de que as ações de TD&E sirvam ao propósito principal de elevar o desempenho de indivíduos, unidades de trabalho e organizações. E, com isso, inicia-se o desperdício das volumosas quantias de recursos, financeiros e humanos, geralmente investidas em ações educacionais em contextos organizacionais.

REFERÊNCIAS

Bloom, B.S., Krathwohl, D.R., & Masia, B.B. (1972). *Taxonomia de objetivos educacionais: compêndio primeiro: domínio cognitivo*. Porto Alegre: Globo.

Borges-Andrade, J.E., & Abbad, G. (1996). Treinamento e desenvolvimento: reflexões sobre suas pesquisas científicas. *Revista de Administração, 31*(2), 112–125.

Borges-Andrade, J.E., & Lima, S.M.V. (1983). Avaliação de necessidades de treinamento: um método de análise do papel ocupacional. *Tecnologia Educacional, 12*(54), 6-22.

Gagné, R.M. (1970). *The condition of learning* (2nd ed). New York: Holt, Rinehart & Winston.

Goldstein, I.L. (1991). Training in work organizations. In M.V. Dunnette & L.M. Hough (Eds.), *Handbook of industrial and organizational psychology* (pp. 507-619). Palo Alto, California: Consulting Psychology Press.

Latham, G.P. (1988). Human resource training and development. *Annual Review of Psychology, 39*, 545-582.

McGehee, W., & Thayer, P.W. (1961). *Training in business and industry*. New York: Wiley.

Pilati, R. (2006). História e importância de TD&E. In J.E. Borges-Andrade, G. Abbad, & L. Mourão (Orgs.), *Treinamento, desenvolvimento e educação em organizações e trabalho: fundamentos para a gestão de pessoas* (pp. 159-176). Porto Alegre: Artmed.

Salas, E., & Cannon-Bowers, A. (2001). The science of training: a decade of progress. *Annual Review of Psychology, 52*, 471-499.

Tannenbaum, S.I., & Yukl, G. (1992). Training and development in work organizations. *Annual Review of Psychology, 43*, 399-441

Exemplo de avaliação de necessidades de treinamento

O texto que se segue tem como propósito central elucidar um processo de avaliação de necessidades. Trata-se de um caso desenvolvido para fins didáticos, mas amplamente baseado nas experiências de consultoria vivenciadas pelos autores deste livro. A apresentação do caso assume caráter de relatório descritivo-analítico, produto final de uma etapa de avaliação de necessidades de treinamento operacionalizada, segundo modelos prescritivos mais tradicionais, por meio de análise organizacional, de tarefas e individual.

APRESENTAÇÃO

Atualmente, as estratégias adotadas pelas organizações para lidar com os constantes processos de transformação ambiental determinam, sobremaneira, sua sobrevivência e destaque em um mercado economicamente aberto. Em um contexto em que os avanços nos meios de comunicação e de transporte tornam disponíveis, a qualquer organização, insumos anteriormente restritos a determinadas corporações, a responsabilidade pela criação ou manutenção de vínculos adequados com investidores, acionistas, clientes, fornecedores, parceiros, entre outros, passa a ser delegada ao capital humano. É neste cenário que os indivíduos passam a ser considerados elementos-chave da busca organizacional por diferenças competitivas. Portanto, precisam ser devidamente orientados e valorizados, a fim de que possam contribuir para a realização da estratégia organizacional.

A necessidade de articulação entre o desempenho humano e o negócio das organizações passa então a exigir uma nova postura dos sistemas de gestão de pessoas prevalecentes. A própria denominação *modelo de gestão de pessoas* consiste em uma tentativa inicial de romper com a visão tecnicista e coercitiva sob a qual estão alicerçados os sistemas de administração de recursos humanos ainda em vigor em muitas organizações brasileiras. Diferentemente dos tradicionais sistemas de administração de recursos humanos, os atuais modelos preconizam não somente reconcepções do aparato metodológico de gestão, mas, sobremaneira, do uso dos resultados proporcionados. Em vez do controle e da supervisão, valorizam-se a autonomia e a orientação.

Apesar do discurso atraente, na prática, em face dos resquícios tecnológicos e culturais de uma administração de recursos humanos, muitas são as dificuldades inerentes à adoção de modelos mais estratégicos de gestão de pessoas. E isso porque de grande parte do instrumental disponível para tomada de decisões em gestão de pessoas, vale ressaltar, pouco é capaz de articular os interesses, as expectativas e os objetivos de indivíduos, grupos e equipes de trabalho e organizações. Somente levar em consideração os interesses dos indivíduos ou o negócio organizacional não mais é suficiente na elaboração de respostas corporativas às rápidas transformações de mercado, tampouco à antecipação destas.

> Neste sentido, *o presente relato é fruto de uma proposta de articulação de necessidades de treinamento individuais, de grupo e organizacionais, gerada a partir da aplicação de técnicas e procedimentos qualitativos e quantitativos de avaliação de necessidades educacionais no período de agosto a outubro de 2007.* Participaram da pesquisa de avaliação funcionários de todos os níveis hierárquicos da área de recursos humanos da empresa estudada, como pode ser observado detalhadamente em seguida.

DESENHO E IMPLANTAÇÃO DO PROCESSO DE AVALIAÇÃO DE NECESSIDADES

Ante a demanda de que fossem projetadas soluções de treinamento que atendessem não apenas aos interesses dos funcionários da área de recursos humanos da organização estudada, mas, principalmente, às exigências inerentes às funções ali exercidas, optou-se pelo desenho de um processo de avaliação de necessidades capaz de articular interesses de treinamento organizacionais, de grupo e individuais. Desta forma, como pode ser observado na Figura 2.1.1, foram realizadas três análises principais: análise organizacional; análise de tarefas e atividades; e análise individual. Maiores detalhes acerca dessas análises são apresentadas em seguida.

A análise organizacional foi conduzida com o propósito de identificar os motivos que culminaram com a demanda deste trabalho, bem como dos mecanismos pelos quais as ações de treinamento projetadas influenciariam nos resultados perseguidos pela área solicitante. Sem tais informações, não se poderia determinar com exatidão a pertinência de determinado conjunto de soluções de treinamento, pois nem sempre os problemas ou as necessidades de desempenho decorrem de lacunas de conhecimentos, habilidades e atitudes, estes considerados os únicos objetos de

Etapa	Análise Organizacional	→	Análise de Tarefas	→	Análise Individual
Método	Entrevista com diretor da área	→	Análise documental Grupo focal com gestores da área	→	Aplicação de questionário nos funcionários de todo o setor
Produto	Justificativa do treinamento	→	Identificação dos CHAs relevantes	→	Identificação das necessidades de treinamento

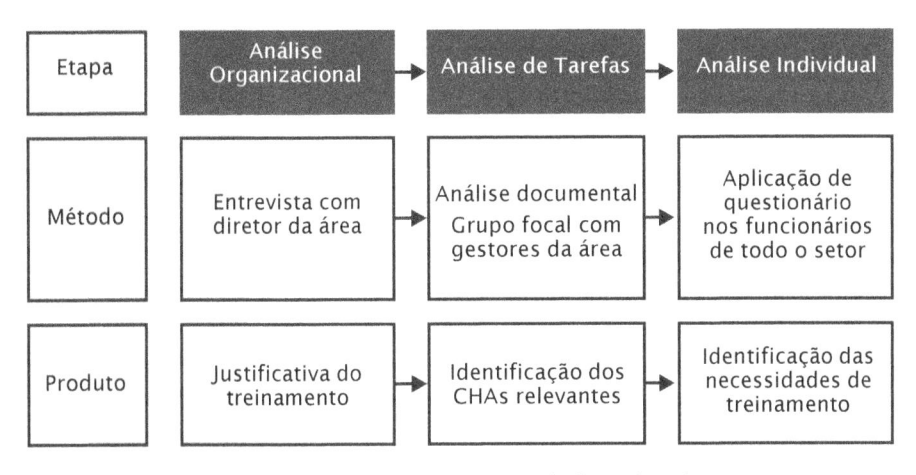

FIGURA 2.1.1 Processo de avaliação de necessidades adotado.

ações educacionais. Em grande parte das vezes, os desempenhos individuais, de grupos e organizacionais não atingem as metas previstas devido a questões contextuais e motivacionais. Por essa razão é que se justifica a implantação da análise organizacional.

Em termos metodológicos, esta análise foi realizada por meio de entrevista individual com o coordenador da área de recursos humanos da empresa estudada. Esse processo durou aproximadamente uma hora e foi conduzido pelo pesquisador contratado com o apoio de um roteiro de entrevista semiestruturado, composto por itens previamente definidos que versavam sobre os supostos motivos da demanda educacional, fatores contextuais (externos e internos à organização) que poderiam reforçar essa demanda e os resultados que seriam observados em função da adoção de determinada solução educacional. A entrevista foi gravada, com permissão do participante, e, em seguida, seus conteúdos foram decodificados e analisados.

Finalizada a primeira etapa e constatada a real necessidade de soluções de TD&E para a área pesquisada, passou-se à descrição dos conhecimentos, habilidades e atitudes necessários aos profissionais da área face à demanda e aos resultados estabelecidos pelo diretor entrevistado anteriormente (análise de tarefas). Produto final da análise de tarefas, essas capacidades devem ser alinhadas às atividades ou processos de trabalho executados por determinados grupos ou equipes de trabalho. Caso sejam definidas precariamente, de modo genérico ou pouco relacionadas às atividades realmente executadas em determinada unidade organizacional, são poucas as chances de que as ações educacionais projetadas gerem aprendizagem e, consequentemente, melhorem os níveis de desempenho, individual e de equipes, pós-treinamento.

A análise de tarefas, como ilustrado, foi realizada por meio de análise documental e grupo focal com os gestores da equipe de recursos humanos. Enquanto a análise documental foi empregada com o intuito de se compreender os processos de trabalho (etapas, atividades, fluxo, responsabilidades e atribuições) da unidade estudada, o grupo focal buscou confirmar se os componentes das atividades e tarefas documentados realmente condiziam com as práticas exercidas pelos funcionários da equipe de recursos humanos.

A análise documental, assim, foi realizada a partir do estudo do plano de metas, da descrição dos processos de trabalho e dos perfis de capacidades da unidade de recursos humanos. De posse dessas informações, gerou-se um único documento que integrava todas as informações anteriormente acessadas. Assim, foram associadas em um único mapa as atividades encadeadas sequencialmente, as metas associadas a cada etapa de trabalho da unidade e as capacidades demandadas. Esse mapa foi então apresentado aos quatro gestores das equipes de recursos humanos, em um grupo focal com duração de 4 horas, os quais indicaram necessidades de alteração no fluxo de algumas atividades e, principalmente, nas capacidades requeridas em função das novas demandas de trabalho expostas pelo diretor da área. Todas as alterações foram efetivadas durante a condução do grupo de foco.

De posse das capacidades especificadas no perfil acessado e naquele determinado pelos gestores da equipe de recursos humanos da empresa analisada, uma última etapa foi realizada, a análise individual. Essa análise tem como foco investigar a real demanda de ações de TD&E dos funcionários de determinada organização. Uma necessidade de treinamento consiste em conhecimentos, habilidades e atitudes muito importantes para o desenvolvimento efetivo das atividades da unidade organizacional e pouco dominados pelos funcionários responsáveis pelas metas desta unidade.

Ainda que a análise de tarefas permita determinar as capacidades necessárias à realização dos processos de trabalho de uma unidade organizacional, não se pode afirmar com exatidão, não sem a realização de uma análise individual, que todos os funcionários do setor têm as mesmas necessidades em relação às capacidades pré-definidas. Essa análise foi realizada a partir da aplicação, junto aos 100 funcionários da área de recursos humanos distribuídos em todo o território nacional, de questionário composto por 26 itens que representavam, em afirmativas, as descrições de conhecimentos, habilidades e atitudes geradas na análise de tarefas.

Conforme o Quadro 2.1.1, os itens deveriam ser julgados segundo duas escalas do tipo *Likert* de 5 pontos, uma de importância (1=nada importante a 5=muito importante) e outra de domínio (1=total domínio a 5=nenhum domínio). Foram consideradas necessidades de treinamento os itens assinalados, pela maioria dos respondentes, com os valores 5 para importância e 1 para domínio. Os resultados de cada uma das análises aqui apresentadas são detalhados em seguida.

QUADRO 2.1.1 Questionário utilizado na análise individual

Análise de Lacunas de Capacidades

Orientações sobre a pesquisa de avaliação de necessidades e sobre a forma de responder aos itens.

Escala de Importância

1	2	3	4	5
Nada				Muito

Escala de Domínio

1	2	3	4	5
Domínio completamente				Não domínio

CHAs Necessários	Importância	Domínio
1. 2. n.		

RESULTADOS

Os resultados da análise organizacional realizada junto ao diretor da área de recursos humanos permitiram identificar com precisão: as causas das supostas demandas educacionais; os resultados organizacionais e da unidade de recursos humanos que seriam alterados em função das soluções de TD&E; e diversas variáveis contextuais (internas e externas à organização) que poderiam afetar a emergência de tais resultados. O Quadro 2.1.2 ilustra a justificativa das soluções educacionais elaborada pelo consultor a partir dos dados coletados nesta etapa.

QUADRO 2.1.2 Justificativa das soluções educacionais

Causa: Dispostos a tornar estratégicas as soluções educacionais apresentadas aos clientes internos da organização, bem como abranger público externo por meio dessas mesmas ações, mas também a partir da realização de parcerias de pesquisa, os principais constituintes da empresa estudada decidiram substituir o tradicional centro de formação de recursos humanos por uma universidade corporativa. Entre as principais causas apontadas pelos constituintes que culminaram com a proposta de criação de uma universidade corporativa, tem-se a perda de competitividade para outras empresas cujas soluções educacionais, abrangentes, continuadas e estruturadas sob a forma de currículos de maior estabilidade, favorecem o enfrentamento de cenários econômicos, tecnológicos, políticos etc. com muito mais rapidez e intensidade.

Resultados Organizacionais Esperados: Após a realização das ações educacionais direcionadas para a implantação dos processos de trabalho da Universidade Corporativa, espera-se que os seguintes resultados sejam observados:

1. **Perspectiva financeira**: **a.** redução de 40% no custo operacional (deslocamentos, passagens, estada etc.) com ações de desenvolvimento humano, devido à ampla e intensa utilização que se pretende fazer da modalidade a distância de ensino-aprendizagem; **b.** redução de 50% no custo com contratação de professores/instrutores externos, pois serão mais bem aproveitados os recursos humanos disponíveis na própria organização (p. ex., funcionários com títulos de especialista, mestre e doutor); e **c.** redução de 20% no custo com contratação de consultores externos, devido às parcerias de pesquisa que serão estabelecidas entre a universidade e outras organizações.
2. **Perspectiva social**: **a.** elevação de 20% no índice de satisfação dos funcionários em relação aos dados da última pesquisa realizada pela equipe de recursos humanos, devido à possibilidade de que as ações de qualificação sejam percebidas como estratégias de reconhecimento organizacional.
3. **Perspectiva de negócios**: **a.** elevação de 15% da carteira de clientes da empresa devido à imagem positiva da empresa a ser estabelecida por meio de ações educacionais estendidas à sociedade.

Variáveis Contextuais: algumas variáveis que poderão exercer efeitos positivos ou negativos sobre os resultados informados anteriormente precisam ser adequadamente controladas pela organização e pela equipe de recursos humanos.

1. **Perspectiva financeira**: **a.** redução de 40% no custo operacional com as ações de treinamento: atrasos na implantação das novas tecnologias da informação e comunicação de suporte às ações de educação a distância, bem como a falta de pré-requisitos (experiência prévia com educação a distância e com computador, estratégias de aprendizagem e atitudes desfavoráveis à educação a distância) de professores e alunos para total aproveitamento das vantagens da modalidade a distância de educação; **b.** redução de 50% no custo com contratação de professores/instrutores: atitudes negativas de funcionários em relação ao desempenho do papel determinado, falta de experiência em didática aplicada a situações presenciais e, principalmente, a distância; **c.** redução de 20% no custo com contratação de consultores: entraves burocráticos no estabelecimento de parcerias de pesquisa que não incluam dispêndio de recursos financeiros pelas partes envolvidas.

(Continua)

QUADRO 2.1.2 (*Continuação*)

2. **Perspectiva social**: a. elevação de 20% no índice de satisfação dos funcionários: crenças de que as mudanças estruturais possibilitadas pela implantação da Universidade Corporativa representam mais uma tentativa de reestruturação da área de recursos humanos que será abandonada ou esvaziada tão logo seja trocado o quadro diretivo da empresa.
3. **Perspectiva de negócios**: a. elevação de 15% da carteira de clientes da empresa: campanhas negativas da mídia de massa sobre determinados negócios escusos praticados pela empresa.

Após constatado que soluções educacionais poderiam contribuir para a elevação do desempenho da organização, da unidade de recursos humanos e de seus funcionários, passou-se à realização da análise de tarefas, cujo objetivo principal consistiu na identificação dos conhecimentos, habilidades e atitudes que deveriam ser desenvolvidos no sentido de que as metas de desempenho fossem efetivamente cumpridas.

Vale enfatizar que as capacidades foram apenas especificadas após o diretor, na etapa anterior, ter especificado novas demandas de trabalho em função das alterações organizacionais impostas, bem como posteriormente à redefinição do fluxo de atividades proposto pelos próprios gestores de recursos humanos. As capacidades então previstas pelos quatro gestores entrevistados podem ser visualizadas em seguida, no Quadro 2.1.3, que representa fielmente o instrumento de pesquisa elaborado, na etapa seguinte (análise individual), para coleta dos dados e cálculo dos índices de prioridade de treinamento.

QUADRO 2.1.3 Relação de conhecimentos, habilidades e atitudes demandados dos funcionários de recursos humanos ante as novas demandas da unidade

Análise de Lacunas de Capacidades

Prezado funcionário, o presente questionário tem como objetivo identificar necessidades de desenvolvimento das novas capacidades demandadas a partir da decisão desta organização pela implantação de uma Universidade Corporativa. Suas respostas serão tratadas de forma agrupada. Para avaliar os itens que se seguem, por favor, utilize as duas escalas apresentadas (importância e domínio), assinalando suas respostas nas colunas à direita das afirmativas. Não deixe de participar desta pesquisa, pois a partir dos dados aqui coletados diversas soluções de desenvolvimento pessoal e profissional serão precisamente projetadas para você e sua equipe de trabalho.

(Continua)

QUADRO 2.1.3	Relação de conhecimentos, habilidades e atitudes demandados dos funcionários de recursos humanos ante as novas demandas da unidade (*Continuação*)

Escala de Importância

1	2	3	4	5
Nada				Muito

Escala de Domínio

1	2	3	4	5
Domino completamente				Não domino

CHAs Necessários	I	D
1. Comparar características de uma universidade corporativa com aquelas presentes em centros mais tradicionais de treinamento.		
2. Explicar o processo de trabalho de uma universidade corporativa.		
3. Explicar todas as atividades inerentes ao processo de avaliação de necessidades.		
4. Explicar todas as etapas de um processo de planejamento de ações educacionais, na modalidade a distância e presencial.		
5. Explicar os níveis de avaliação de ações de treinamento conforme modelos propostos por Hamblin e Borges-Andrade.		
6. Identificar necessidades educacionais a partir da análise dos três componentes que integram um desempenho em contextos de trabalho.		
7. Identificar causas de problemas ou necessidades de aperfeiçoamento de desempenho individual, grupal e organizacional.		
8. Determinar resultados organizacionais e grupais para ações educacionais direcionadas para indivíduos.		
9. Elaborar políticas de investimento em ações educacionais a partir de resultados de processos de avaliação de necessidades.		
10. Influenciar na liberação de recursos para total cumprimento da política de investimento em ações educacionais.		

(*Continua*)

QUADRO 2.1.3 *(Continuação)*

Escala de Importância

1	2	3	4	5
Nada				Muito

Escala de Domínio

1	2	3	4	5
Domino completamente				Não domino

CHAs Necessários	I	D
11. Definir objetivos educacionais.		
12. Sequenciar objetivos educacionais a partir do uso das taxonomias propostas por Bloom e Simpson.		
13. Selecionar modalidade de ensino compatível com as características do público-alvo e natureza e complexidade dos objetivos educacionais.		
14. Especificar métodos e estratégias de ensino de acordo com a natureza e a complexidade dos objetivos educacionais.		
15. Definir critérios de avaliação de aprendizagem a partir da natureza e da complexidade dos objetivos educacionais.		
16. Analisar a qualidade de processos de planejamento instrucional.		
17. Negociar com professores externos custos relativos à proposição de ações educacionais.		
18. Orientar professores internos e externos no processo de planejamento de ações educacionais.		
19. Elaborar instrumentos de pesquisa de avaliação de efeitos de ações educacionais segundo modelos propostos por Hamblin e Borges-Andrade.		
20. Aplicar instrumentos de pesquisa de avaliação.		
21. Tabular dados de avaliação de ações educacionais em *software* para análise estatística de dados.		
22. Calcular estatísticas descritivas (médias, desvios-padrão, frequências, medianas, modas e correlações) a partir dos dados das avaliações.		

(Continua)

QUADRO 2.1.3	Relação de conhecimentos, habilidades e atitudes demandados dos funcionários de recursos humanos ante as novas demandas da unidade (*Continuação*)

Escala de Importância

1	2	3	4	5
Nada				Muito

Escala de Domínio

1	2	3	4	5
Domino completamente				Não domino

CHAs Necessários	I	D
23. Elaborar relatórios executivos a partir dos resultados das avaliações de efeitos das ações educacionais.		
24. Conduzir sessão de *feedback* para discussão dos resultados da pesquisa de avaliação com os participantes das pesquisas (professores, alunos, coordenadores, supervisores etc.).		
25. Elaborar relatório anual de impacto das ações educacionais sobre resultados de equipes de trabalho e organizacionais.		
26. Analisar possibilidades de correção dos subsistemas de avaliação de necessidades e de planejamento a partir dos resultados das avaliações de efeitos de ações educacionais.		

    Descritos os conhecimentos, as habilidades e as atitudes, passou-se à identificação das necessidades de TD&E dos funcionários da área de recursos humanos. Como mencionado anteriormente, formatou-se um questionário integrado pelas descrições das capacidades identificadas, as quais deveriam ser avaliadas mediante uso de duas escalas, uma de importância e outra de domínio.

    Considerando que uma necessidade educacional consiste em uma capacidade muito importante (importante=5) e pouco dominada (domínio=5), tem-se que quanto maior o produto da multiplicação das respostas de domínio pelas de importância, tanto maior a prioridade educacional. Quanto menor o produto (nada importante=1 x domínio total=1), menor a prioridade. De outra forma, 25 representava a prioridade máxima de treinamento, ao passo que 1, nenhuma prioridade. O Quadro 2.1.4 apresenta os CHAs requeridos pela área de recursos humanos, hierarquizados em função do índice de prioridade de treinamento calculado. Os índices de prioridade de treinamento apresentados foram expressos apenas em números inteiros.

QUADRO 2.1.4 Índices de prioridade de TD&E

9. Elaborar políticas de investimento em ações educacionais a partir de resultados de processos de avaliação de necessidades.	23
25. Elaborar relatório anual de impacto das ações educacionais sobre resultados de equipes de trabalho e organizacionais.	22
16. Analisar a qualidade de processos de planejamento instrucional.	22
18. Orientar professores internos e externos no processo de planejamento de ações educacionais.	22
23. Elaborar relatórios executivos a partir dos resultados das avaliações de efeitos das ações educacionais.	21
24. Conduzir sessão de *feedback* para discussão dos resultados da pesquisa de avaliação com os participantes das pesquisas (professores, alunos, coordenadores, supervisores etc.).	21
26. Analisar possibilidades de correção dos subsistemas de avaliação de necessidades e de planejamento a partir dos resultados das avaliações de efeitos de ações educacionais.	21
17. Negociar com professores externos custos relativos à proposição de ações educacionais.	20
10. Influenciar na liberação de recursos para total cumprimento da política de investimento em ações educacionais.	20
6. Identificar necessidades educacionais a partir da análise dos três componentes que integram um desempenho em contextos de trabalho.	16
12. Sequenciar objetivos educacionais a partir do uso das taxonomias propostas por Bloom e Simpson.	15
19. Elaborar instrumentos de pesquisa de avaliação de efeitos de ações educacionais segundo modelos propostos por Hamblin e Borges-Andrade.	15
8. Determinar resultados organizacionais e de grupo para ações educacionais direcionadas para indivíduos.	15
7. Identificar causas de problemas ou necessidades de aperfeiçoamento de desempenho individual, grupal e organizacional.	14
5. Explicar os níveis de avaliação de ações de treinamento conforme modelos propostos por Hamblin e Borges-Andrade.	14
22. Calcular estatísticas descritivas (médias, desvios padrão, frequências, medianas, modas e correlações) a partir dos dados das avaliações.	11
14. Especificar métodos e estratégias de ensino de acordo com a natureza e a complexidade dos objetivos educacionais.	11
11. Definir objetivos educacionais.	11
15. Definir critérios de avaliação de aprendizagem a partir da natureza e da complexidade dos objetivos educacionais.	11
13. Selecionar modalidade de ensino compatível com as características do público-alvo e natureza e complexidade dos objetivos educacionais	10

(Continua)

QUADRO 2.1.4	Índices de prioridade de TD&E (*Continuação*)
4. Explicar todas as etapas de um processo de planejamento de ações educacionais, na modalidade a distância e presencial.	10
3. Explicar todas as atividades inerentes ao processo de avaliação de necessidades.	10
1. Comparar características de uma universidade corporativa com aquelas presentes em centros mais tradicionais de treinamento.	07
2. Explicar o processo de trabalho de uma Universidade Corporativa.	06
21. Tabular dados de avaliação de ações educacionais em *software* para análise estatística de dados.	06
20. Aplicar instrumentos de pesquisa de avaliação.	05

RECOMENDAÇÕES DE AÇÕES DE TD&E

Prioridades de 23 a 20: referem-se a conhecimentos, habilidades associados a tarefas de maior complexidade, de cunho avaliativo, bem como a determinados comportamentos (atitudes) inerentes ao exercício dessas tarefas de ordem complexa. Vale enfatizar que tais capacidades são mais intensamente demandas de gestores ou de profissionais que assumam a responsabilidade por determinadas equipes de trabalho. Tratam-se, portanto, de atividades de articulação de tarefas e de interesses.

- **Solução proposta**: Treinamento presencial
    - **Objetivo geral proposto:** Ao final do curso, os participantes deverão ser capazes de gerir os processos acadêmicos inerentes à uma Universidade Corporativa, bem como representá-los junto às demais unidades de trabalho da organização.
    Complexidade: avançada
    Método recomendado: simulações

Prioridades de 16 a 14: Habilidades de mediana complexidade, mais articuladas a processos analíticos de trabalho, e não avaliativos. Assumem segunda posição no rol dos índices de treinamento gerados e representam as atividades intelectuais necessárias à manutenção dos processos de avaliação de necessidades, de planejamento e de avaliação de efeitos de ações educacionais.

- **Solução proposta**: Treinamento presencial

- **Objetivo Geral Proposto:** Ao final do curso, os participantes deverão ser capazes de executar os processos acadêmicos inerentes a uma Universidade Corporativa, bem como representá-los junto às demais unidades de trabalho da organização.
  Complexidade: intermediária
  Método recomendado: oficinas de trabalho

Prioridades de 10 a 11: incluem habilidades de baixa complexidade relativas à execução do processo de planejamento instrucional. Abarcam também conhecimentos sobre este processo e o de avaliação de necessidades de treinamento

- **Solução Proposta**: Treinamento a distância
  - **Objetivo Geral Proposto:** Ao final do curso, os participantes deverão ser capazes de discutir os processos acadêmicos inerentes a uma Universidade Corporativa, bem como representá-los junto às demais unidades de trabalho da organização.
    Complexidade: básica
    Método recomendado: exposição de conteúdos e discussão entre participantes e tutores

Prioridades de 06 a 07: referem-se aos conhecimentos básicos sobre as características e o funcionamento de Universidades Corporativas e a algumas habilidades operacionais necessárias à manutenção de processos de trabalho da própria universidade.

- **Solução proposta**: Cartilha informativa sobre a Universidade Corporativa (missão, processos, valores etc.) e Manual de procedimentos operacionais de trabalho.

Planejamento de ação de treinamento, desenvolvimento e educação de pessoas

Objetivos

Ao final deste capítulo, o leitor deverá ser capaz de:
- Discutir os principais elementos da psicologia instrucional utilizados no planejamento de ações educacionais.
- Analisar as principais diferenças entre o desenvolvimento de ações educacionais presenciais e a distância.
- Escolher a modalidade de ensino: presencial, a distância ou semipresencial.
- Redigir objetivos instrucionais gerais e específicos.
- Classificar objetivos instrucionais de acordo com o nível de especificação e domínio de aprendizagem.
- Ordenar objetivos e conteúdos instrucionais.
- Selecionar alternativas instrucionais para diferentes situações de aprendizagem.
- Estabelecer critérios e situações de avaliação de aprendizagem.

INTRODUÇÃO

Como discutido no Capítulo 2, grande parte dos investimentos em atividades de TD&E tende a ser desperdiçada pelo fato de tais atividades não serem precedidas por processos sistemáticos de avaliação de necessidades educacionais. Falhas ou negligências na condução das análises organizacionais, de tarefas e individuais culminam na redução das chances de que as ações de TD&E promovam melhorias no desempenho da organização, de suas unidades de trabalho e dos funcionários que as integram. Além disso, problemas na etapa de avaliação de necessidades, sobretudo no que diz respeito à análise de tarefas e individual, podem dificultar consideravelmente o planejamento das ações educacionais demandadas, temática central do presente capítulo.

Processualmente, o planejamento de ações de TD&E é iniciado com a definição dos desempenhos que deverão ser desenvolvidos e alcançados pelos participantes. Esses desempenhos representam descrições comportamentais indicativas de conhecimentos, habilidades e atitudes (CHA). Portanto, caso a análise de tarefas, integrante do processo de avaliação de necessidades, tenha sido bem executada, a etapa de planejamento pode então ser facilmente iniciada. Caso contrário, os CHAs deverão ser identificados e descritos logo no início da etapa de planejamento.

> Do ponto de vista pedagógico, é possível que um programa de treinamento seja bem estruturado mesmo nesses casos em que a avaliação de necessidades não foi adequadamente operacionalizada por meio da análise de tarefas. Mas apenas do ponto de vista pedagógico. *Nos casos em que a avaliação de necessidades foi mal executada, mesmo que determinada ação de treinamento seja pedagogicamente bem elaborada, ainda assim não haverá garantia alguma de que ela se vinculará com as necessidades individuais, de grupos e equipes e organizacionais.* Em outras palavras, de nada adiantarão os esforços de planejamento se, antes, a ação não tiver sido alinhada ao contexto de trabalho dos funcionários e da organização.

Ante tais possibilidades, o presente capítulo discute as etapas do processo de planejamento de ações educacionais, segundo subsistema integrante da área de TD&E. Anteriormente à discussão dessas etapas, entretanto, faz-se necessária a apresentação de alguns aspectos teóricos que embasam as atividades de planejamento de ações educacionais em contextos organizacionais. Esses aspectos – que tratam das questões sobre como as pessoas aprendem e acerca das condições indutoras dessa aprendizagem – foram extraídos dos principais corpos teóricos geralmente utilizados na etapa de planejamento de ações educacionais. Para maiores informações sobre essas bases teóricas, consulte o livro *Treinamento, desenvolvimento e educação em organizações e trabalho: fundamentos para a gestão de pessoas* (Borges-Andrade, Abbad e Mourão, 2006).

> ■ **Em primeiro lugar, o profissional de TD&E deve entender como as pessoas aprendem.** Várias teorias de aprendizagem foram desenvolvidas, ao longo do último século, a fim de explicar os mecanismos individuais básicos envolvidos em processos de aprendizagem. *Essas teorias podem ser classificadas em três grandes grupos: comportamentalistas, cognitivistas e humanistas.*

Segundo Mayer (1992), nas teorias comportamentalistas, que prevaleceram na primeira metade do século XX, a aprendizagem é compreendida como um processo de aquisição de respostas decorrente do contato com estímulos ambientais sistematicamente organizados, que se dá por meio de sucessivas associações entre os comportamentos emitidos pelos aprendizes e determinadas consequências (reforços e punições). Assim, por meio da manipulação dos estímulos de aprendizagem e das consequências associadas ao desempenho apresentado pelos aprendizes, o objetivo consiste em garantir o cumprimento de tarefas no menor tempo e com a maior taxa de acerto possível.

A partir da observação de que o indivíduo não se resume apenas a um organismo governado por estímulos ambientais externos – ele próprio faz suas escolhas em cada situação –, um outro conjunto de teorias, desenvolvido nas décadas de 1950 e 1960, passou a considerar o indivíduo como uma entidade ativa que adquire, armazena e recupera informações. Segundo essas teorias de base cognitivista, ações de TD&E devem ser programadas a fim de que cada uma das etapas do processamento humano de informações, da percepção de estímulos até à geração de respostas e consequente retroalimentação processual, possa ser facilmente superada pelos aprendizes. Educar, portanto, implica provocar o desequilíbrio no organismo para que ele, em busca de um novo equilíbrio, se reestruture cognitivamente e aprenda.

Conforme Moreira (1999), se considerado o fato de que a reestruturação cognitiva consiste em um processo de construção de novos significados, então é possível incorporar à tradição cognitivista o construtivismo. Nessa perspectiva interpretacionista, o foco recai sobre os processos internos de interpretação e representação dos eventos e objetos que circundam o aprendiz. Em termos metodológicos, assevera o autor, não se pode afirmar que exista um método construtivista, mas, sim, teorias e metodologias construtivistas que buscam explicar e prever como a construção cognitiva ocorre.

A partir da crítica de que os indivíduos são mais que um mero processador artificial de informações, a filosofia humanista aplicada com maior vigor a partir da década de 1970 busca considerar o indivíduo em sua plenitude. Mais do que caracterizar o aprendiz como um receptor de conhecimentos, nessa filosofia a aprendizagem é dependente também dos sentimentos, atitudes e escolhas do indivíduo. O importante é sua autorrealização, seu desenvolvimento integral (cognição e afetividade). Conforme destaca Moreira (1999), a aprendizagem significativa proposta por Joseph Novack pode ser enquadrada nessa categoria teórica.

Apesar das particularidades de cada uma dessas três teorias, qualquer uma delas pode servir de apoio à tomada de decisão na área de TD&E. A escolha por uma ou outra teoria deve se dar, prioritariamente, em função da visão de homem que se adota em determinado contexto. Por exemplo, as universidades corporativas, amplamente baseadas no uso intenso de tecnologias e mídias educacionais, assumem geralmente que os indivíduos devem responsabilizar-se pelos seus próprios processos de aprendizagem. Assim, acabam valendo-se mais recorrentemente dos princípios das teorias construtivistas, ainda que durante a implantação inicial desses centros de educação as bases mais utilizadas sejam aquelas oriundas das teorias cognitivistas, pela facilidade que representam na estruturação de currículos de capacidades. O Quadro 3.1 ilustra as principais características dos três conjuntos de teorias ora retratados.

No presente capítulo, visto que os textos adiante apresentados assumem caráter prescritivo, adotam-se as bases e os fundamentos das teorias cognitivistas de aprendizagem. Assim, reconhece-se que os indivíduos participam ativamente dos processos de ensino-aprendizagem nos quais se envolvem. Ainda que os demais conjuntos teóricos não sejam focalizados deste ponto em diante, isso não significa que foram completamente descartados. Como se sabe, o desenvolvimento teórico em muitas áreas do conhecimento científico consiste em processo cumulativo, de forma que em um modelo teórico subsequente é possível observar resquícios dos modelos anteriores.

No caso das teorias cognitivistas, especialmente naquelas tratadas neste capítulo, pode ser constatada uma preocupação com a manipulação de consequências (reforços) aos resultados de aprendizagem. Em relação às

QUADRO 3.1	Conjuntos de teorias de aprendizagem e características principais		
Características/ Teorias	Comportamentalismo	Cognitivisimo	Humanismo
Pressupostos	Determinismo ambientalista	Determinismo pessoalista	Determinismo pluralista
Foco	Comportamento observável	Processos cognitivos	Sentimento, pensamento e ações
Temas	Condicionamento comportamental	Conhecimento, resolução de problemas, metacognições etc.	Autorrealização, crescimento pessoal
Aprendizagem	Aquisição de respostas a estímulos	Aquisição e construção social de conhecimentos	Dar significados ao novo conhecimento por interações com significados claros, estáveis e diferenciados
Indivíduo	Passivo: limita-se a reagir a estímulos	Ativo: recolhe, seleciona, armazena e interpreta	Ativo: cognição, afetividade e psicomotricidade integradas
Ensino	Aumentar chances de ocorrência das respostas corretas	Aumentar volume de conhecimentos retidos	Troca de significados e sentimentos entre professor e alunos

Fonte: Adaptado de Moreira (1999, p.18).

teorias humanistas, suas indicações não são aqui enfatizadas, apesar de ser notória a necessidade de o planejamento da instrução levar em consideração o contexto no qual os conhecimentos a serem adquiridos pelos aprendizes foram originalmente estabelecidos e significados, bem como o contexto atual em que se encontram tais indivíduos.

- Compreendido como os indivíduos aprendem, *o profissional da área de treinamento precisa, também, entender como criar condições que facilitem o processo interno de aprendizagem e, consequentemente, como prescrever métodos, estratégias, ferramentas e recursos instrucionais para cada situação específica de ensino-aprendizagem*. Para tanto, é fundamental que sejam dominados alguns aspectos desenvolvidos pela Psicologia Instrucional, então constituída por um conjunto descritivo (teoria instrucional) e prescritivo (desenho instrucional) de informações que permite que os programas de TD&E sejam adequadamente planejados.

Entre as teorias instrucionais, duas merecem destaque por constituírem, inclusive, a base teórica das próximas seções deste capítulo, quais sejam aquelas propostas por Gagné (1988) e por Bloom, Krathwohl e Masia (1972). Sobre as teorias de desenho instrucional, opta-se por uma discussão mais simplificada, visto que tais teorias desempenham o mesmo papel, ainda que de maneira muito mais bem sistematizada, do presente capítulo, a saber, prescrever estratégias para decisão sobre métodos, meios, recursos e procedimentos instrucionais para situações de ensino-aprendizagem de natureza e complexidade diferenciadas.

Em princípio, é preciso ressaltar certa equivalência entre as teorias propostas por Gagné (1988) e por Bloom e colaboradores (1972), especialmente no que diz respeito aos sistemas de classificação de resultados de aprendizagem propostos pelos autores. Enquanto o primeiro autor divide os resultados de aprendizagem em habilidades intelectuais e informação verbal e resultados de natureza cognitiva; habilidades motoras e atitudes, o segundo conjunto de autores divide os resultados de aprendizagem naqueles de natureza cognitiva, psicomotora e afetiva. Apesar das nomenclaturas diferentes, é possível intuir facilmente as seguintes associações: habilidades intelectuais e informação verbal (resultados cognitivos); habilidades motoras e resultados psicomotores; e atitudes e resultados afetivos. A diferença aparente entre os dois sistemas de classificação, portanto, está na atenção especial conferida, por Gagné, às estratégias cognitivas.

Apesar da diferença aparente, se considerado o fato de que estratégias cognitivas são mais facilmente desenvolvidas quando o aprendiz domina habilidades cognitivas mais complexas, pode-se inferir, em termos operacionais, que a proposição de situações que favoreçam o exercício de habilidades cognitivas complexas estimulam a formação de habilidades metacognitivas.

> Segundo Gagné (1985), um dos maiores expoentes da teoria cognitivista, *a instrução deve ser planejada levando-se em consideração os processos internos de aprendizagem*, processos estes que indicam exatamente quais componentes da estrutura cognitiva individual são utilizados durante determinado evento educacional.

A partir desses elementos, a aprendizagem pode ser compreendida como um processo que, ante a aquisição de informações via mecanismos perceptivos, a retenção desses sob a forma de conhecimento na memória de curto prazo e a transferência destes para a memória de longo prazo, visa à geração de respostas adequadas ao meio ambiente. Tal geração de respostas demandaria dos indivíduos a capacidade de identificar situações – generalização – onde os conhecimentos absorvidos poderiam ser aplicados.

Assim, o autor recomenda uma série de etapas para que os indivíduos, em situações de aprendizagem induzida, tornem-se gradativamente capazes de aplicar suas aprendizagens em situações de trabalho. Trata-se, portanto, de aproximar o máximo possível a situação de aprendizagem daquela cotidianamente vivenciada pelos indivíduos. A essas etapas, conjuntamente, Gagné atribui a denominação de eventos da instrução. Mais especificamente, esses eventos são condições externas formuladas no sentido de facilitar o processo de indução da aprendizagem humana, como ilustrado na Figura 3.1.

Esses eventos indicam, portanto, papéis a serem desempenhados tanto pelo planejador como pelo executor de determinada ação de TD&E. Mas vale ressaltar que o cumprimento das etapas anteriormente informadas depende da natureza da aprendizagem a ser trabalhada durante a ação educacional, bem como do nível do resultado que se espera que os alunos alcancem. É nesse momento que o sistema de classificação de aprendizagem proposto por Bloom e colaboradores (1972) assume relevância na etapa de planejamento, principalmente devido à fácil compreensão das ideias desenvolvidas pelos autores quando comparadas ao sistema de classificação proposto por Gagné (1985).

> De acordo com Bloom e colaboradores (1972), toda atividade humana depende, sempre, de *três grandes conjuntos de aprendizagem*, ainda que na maioria dos casos haja prevalência de um conjunto sobre os demais: *cognitivo, psicomotor e afetivo*.

Eventos da Instrução

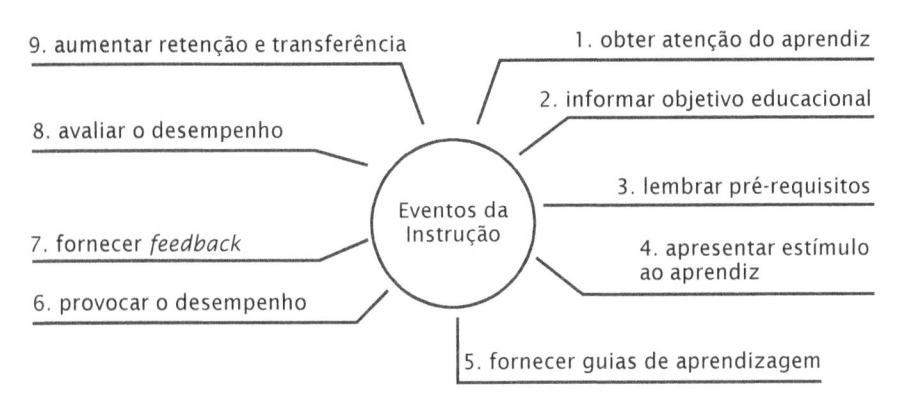

- 9. aumentar retenção e transferência
- 8. avaliar o desempenho
- 7. fornecer *feedback*
- 6. provocar o desempenho
- 1. obter atenção do aprendiz
- 2. informar objetivo educacional
- 3. lembrar pré-requisitos
- 4. apresentar estímulo ao aprendiz
- 5. fornecer guias de aprendizagem

FIGURA 3.1 Eventos da instrução segundo Gagné (1985).

O domínio cognitivo de aprendizagem abarca um conjunto de atividades intelectuais ordenadas em função de seus níveis de complexidade. Assim, quando se trata de habilidades dessa natureza, é correto afirmar que existem capacidades mais simples (por exemplo, a listagem dos nomes dos três subsistemas que compõem a área de TD&E) e outras mais complexas (por exemplo, a elaboração de uma proposta de estruturação de uma área de TD&E em determinada organização).

No caso do domínio afetivo, estão incluídos nesta categoria atitudes, valores, interesses e tendências emocionais que guiam o comportamento humano nas relações sociais. Assim, não se diz que existem resultados de aprendizagem mais ou menos complexos neste caso, mas, sim, resultados mais ou menos internalizados. Por fim, os resultados da aprendizagem psicomotora indicam o grau de automatização de determinadas atividades motoras ou musculares, e não de complexidade ou de internalização dessas.

> Em suma, para cada domínio e nível de resultado de aprendizagem propostos por Bloom e colaboradores (1972), determinados eventos recomendados por Gagné (1985), denominados de eventos da instrução, devem ser selecionados sob a forma de meios, estratégias e procedimentos instrucionais adequados. O cruzamento dessas duas importantes peças de informação – os eventos da instrução e os resultados de aprendizagem visados – emerge justamente como produto final da etapa de Planejamento de Ações de TD&E.

Para tanto, faz-se necessário o cumprimento de alguns passos, tratados detalhadamente no decorrer do texto que se segue: 1) definição de objetivos instrucionais; 2) seleção da modalidade de entrega; 3) análise, classificação e ordenação de objetivos instrucionais; 4) seleção ou desenvolvimento de estratégias e meios instrucionais; 5) definição de critérios de aprendizagem; 6) desenvolvimento e validação de materiais instrucionais; e 7) execução da ação educacional. O cumprimento dessas exigências permitirá, assim, que programas instrucionais possam ser devidamente formulados, conforme modelo básico ilustrado na Figura 3.2.

Modelo Básico de Planejamento da Instrução			
Nome do Curso:			
Modalidade de Ensino:			
Objetivo Geral:			
Domínio Predominante:			
Objetivos Específicos	Nível de Complexidade	Estratégias e Meios Instrucionais	Critérios de Aprendizagem
Objetivo 1			
Objetivo 2			
Objetivo n			
Perfil dos Participantes			
Quantidade:		Dispersos Geograficamente: (S) (N)	
Como gosta de estudar: (sozinho)		(em dupla)	(em grupo)
Quando prefere estudar: (manhã)		(tarde)	(noite)
Onde prefere estudar: (casa)		(trabalho)	(outros locais)
Como gosta de ler os materiais:		(computador)	(papel)
Já fez curso a distância: (S) (N)		Por essa Instituição: (S) (N)	
Domina Office: (S) (N)		Domina ferramentas de EaD: (S) (N)	
Modalidade Sugerida: ( ) presencial ( ) a distância ( ) híbrida			
Disponibilidade de recursos:			
Financeiros (S) ou (N) Material (S) ou (N) Tecnológica (S) ou (N)			

FIGURA 3.2 Modelo básico de planejamento da instituição.

DEFINIÇÃO DE OBJETIVOS DE ENSINO

Nesta etapa, primeiramente, é preciso que seja especificado o desempenho que se espera do público-alvo ao final da ação educacional. Uma vez definido o desempenho final – objetivo geral –, passa-se à descrição dos objetivos intermediários e/ou específicos de aprendizagem. Apesar da recomendação de que os objetivos intermediários e específicos sejam definidos somente após a descrição do objetivo geral, nada impede que o sentido contrário seja seguido. De qualquer forma, iniciando a atividade pela definição do objetivo geral ou dos objetivos intermediários e específicos, em termos da execução da atividade em questão, não há diferenças entre suas respectivas redações. Ambos são constituídos pelos mesmos componentes: a *condição*, o *desempenho* em si (verbo e objeto de ação) e o *critério*.

> ■ A diferença refere-se apenas à amplitude do desempenho expressado, de forma que: (1) os *objetivos específicos* referem-se aos desempenhos esperados por parte dos participantes ao final de cada passo da instrução; (2) os *objetivos intermediários* agrupam vários objetivos específicos em blocos, módulos ou unidades; (3) os *objetivos gerais* expressam o conjunto de desempenhos que se espera observar nos participantes ao final do treinamento, do curso ou da ação educacional.

O grau de detalhamento e especificidade do objetivo instrucional depende da natureza e do nível (complexidade, internalização ou automatização) do resultado de aprendizagem visado. Esse tema será retomado na seção que trata da definição e ordenação de objetivos educacionais, momento em que outras importantes dicas para redação desses elementos serão fornecidas, principalmente no tocante à descrição do desempenho contido nos objetivos. De qualquer forma, vale adiantar que, no caso de cursos autoinstrucionais e totalmente a distância, é preciso alto grau de detalhamento dos passos necessários à aprendizagem, principalmente quando a clientela possuir perfil heterogêneo.

Quanto ao processo de formulação de um objetivo geral, como no caso dos objetivos intermediários e específicos, é preciso que a condição, o desempenho e o critério, conforme representado na Figura 3.3, sejam adequadamente relatados. Vale ressaltar que, no caso de processos de avaliação de necessidades educacionais bem conduzidos, geralmente o desempenho já se encontra estabelecido. Lembre que os indicadores de necessidades educacionais referem-se justamente a descrições comportamentais de conhecimentos, habilidades e atitudes (CHA) passíveis de observação, mensuração e julgamento. Nesse caso, basta decidir pela adição dos componentes "condição" e "critério".

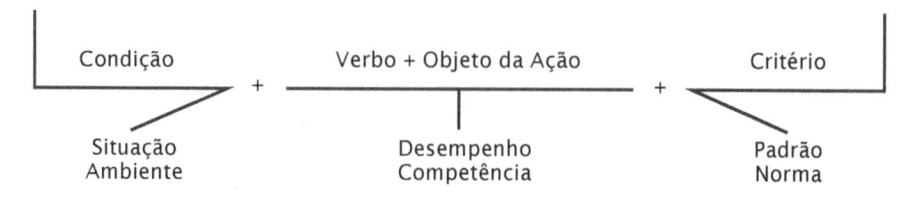

```
┌─ Condição ─┐       ┌─ Verbo + Objeto da Ação ─┐       ┌─ Critério ─┐
             +                                  +
    Situação              Desempenho                     Padrão
    Ambiente              Competência                    Norma
```

FIGURA 3.3 Componentes de objetivos instrucionais.

> Enquanto o desempenho jamais pode ser omitido na descrição de um objetivo, uma vez que constitui objeto principal da ação de TD&E em construção, a condição (recursos necessários para execução do desempenho), quando óbvia, e o critério (elementos que especificam o padrão de desempenho exigido para atestar proficiência), quando complexo, podem ser omitidos.

Como observado na Figura 3.3, o desempenho é composto por um verbo seguido de um objeto da ação. Os verbos devem indicar ações humanas observáveis, descritas de forma precisa e clara. Verbos de ação abstratos, tais como "crer", "sensibilizar", "conhecer", "entender", entre tantos outros, não permitem uma adequada compreensão acerca do que realmente se espera do aluno durante e ao final da ação educacional. Na dúvida sobre a pertinência do verbo escolhido, reflita sobre como o aluno evidenciará, conforme informado no Capítulo 2, a apropriação do desempenho desejado.

Para auxiliar nesta etapa de definição dos desempenhos de um objetivo instrucional, veja a seguir alguns exemplos de verbos de ação considerados concretos, observáveis e mensuráveis. Atente que tais verbos encontram-se ordenados apenas alfabeticamente. Em uma seção específica você terá a oportunidade de ordená-los segundo outras lógicas, ou de acordo com os níveis do resultado de aprendizagem, ou segundo o fluxo geral da atividade enfocada.

- **A**rranjar, analisar, aplicar, argumentar, arranjar, avaliar, aceitar, acumular, adaptar, afirmar, agir, agir de acordo com, alcançar, apoiar, apontar, aprovar, assistir, assumir, atingir.
- **C**itar, classificar, combinar, contar, converter, copiar, calcular, classificar, combinar, comparar, compor, computar, concluir, conseguir, construir, contrastar, converter, criar, criticar, completar, conformar.
- **D**ar exemplos, definir, descrever, discutir, distinguir, debater, defender, delinear, demonstrar, descobrir, desenhar, diferenciar, discriminar, distinguir, dramatizar, demonstrar tolerância a, descrever, desempenhar, discutir, dispor, decidir, defender.

- **E**xplicar, expressar, esboçar, empregar, escolher, esquematizar, estimar, examinar, experimentar, explicar, especificar, estar alerta a;
- **F**ormular.
- **J**ulgar, justificar.
- **I**dentificar, inspecionar, indicar, influenciar, iniciar, integrar, ilustrar, inferir, interpretar.
- **L**istar, localizar.
- **M**odificar, mostrar, montar, mudar, mediar.
- **N**omear.
- **O**rdenar, operar, organizar, obedecer.
- **P**lanejar, pontuar, praticar, predizer, preparar, produzir, propor.
- **Q**uestionar.
- **R**otular, reafirmar, recitar, registrar, relacionar, relatar, relembrar, repetir, reproduzir, reescrever, resumir, revisar, rascunhar, recitar, relacionar.
- **S**ublinhar, selecionar, solucionar.
- **T**raduzir, testar.
- **U**sar, utilizar.
- **V**erificar.

Imagine agora o seguinte objetivo geral: "ao final do curso, os alunos deverão conhecer as atividades previstas em um processo de planejamento instrucional". Reflita sobre como os alunos evidenciarão que conhecem tais atividades. Alguns podem afirmar que o fato de eles serem capazes de definir as atividades é suficiente para atestar o aprendizado. Outros podem crer que definir não é suficiente, exigindo, assim, que eles sejam capazes de explicar as atividades. Esse tipo de dúvida não pode emergir na formulação de objetivos instrucionais, tanto porque "definir" e "explicar" expressam maneiras diferentes de se conhecer algo.

Outra ressalva é que o sujeito da ação contido no objetivo instrucional deve ser o aprendiz, por isso é necessário que o desempenho, descrito pela utilização de um verbo concreto e observável, reflita clara e indubitavelmente o que será por ele aprendido. Objetivos centrados no papel do instrutor ou professor são considerados inadequados. A formulação de objetivos instrucionais requer, ainda, que o objeto da ação seja bem especificado. Fica bastante difícil programar situações de aprendizagem quando não há definição clara do objeto, tanto porque a equipe de TD&E não é especializada em todas as áreas de conteúdo nas quais orientam o processo de planejamento de ações educacionais. Portanto, caso os objetos de ação não sejam definidos de forma compreensível, pouco poderão ser manipulados pela área de TD&E, o que poderá acarretar em programas instrucionais pedagogicamente bem elaborados, mas pouco alinhados às realidades das unidades organizacionais atendidas.

Outro importante componente de um objetivo instrucional, a condição, refere-se às características do contexto que viabilizam ou dificultam a ocorrência dos desempenhos esperados. Recursos materiais, tecnológicos, humanos e financeiros, por exemplo, são bons exemplos de características contextuais que podem facilitar ou restringir o alcance de um determinado objetivo de aprendizagem. Como mencionado anteriormente, condições demasiadamente óbvias devem ser ocultadas no objetivo educacional. Imagine um curso de digitação, no qual os alunos necessitarão de equipamentos e programas de computador para treinarem suas habilidades. Neste caso, por ser óbvia a demanda por recursos para que os desempenhos possam ser desenvolvidos, não se recomenda referências a estes na descrição dos objetivos educacionais.

Por fim, o critério, último componente do objetivo instrucional, é a indicação do nível de proficiência ou do padrão de desempenho esperado. Essas referências podem ser descritas em termos de características quantitativas e qualitativas das ações e/ou resultados das ações descritas nos objetivos instrucionais. Os critérios servem de parâmetro de avaliação da aprendizagem e, por esse motivo, são muito importantes. Eles indicam o quanto o aprendiz adquiriu a competência informada no objetivo. O desenvolvimento das avaliações de aprendizagem é iniciado com a análise desse critério. Retomemos o exemplo do curso de digitação. A partir de quantos toques por minuto será considerado apto o aluno? A resposta a essa questão – 200 toques/minuto - indica o critério que será associado ao desempenho.

Mas nem sempre o critério deve ser inserido em um objetivo educacional. Imagine agora um curso de especialização que tenha como trabalho final a elaboração de um artigo científico, produto demasiadamente complexo. Caso os critérios a partir dos quais os alunos seriam considerados aptos fossem incluídos no objetivo, este perderia sua função principal de nortear o desempenho desses alunos durante a ação de TD&E. Por definição, um objetivo educacional tem o objetivo de informar ao aluno o que se espera dele durante o evento e, consequentemente, motivá-lo para a aprendizagem. Caso o aluno se depare com objetivos cujos critérios são altamente complexos, é provável que ele fique receoso quanto ao alcance dos desempenhos previstos, fato que pode ocasionar pouco engajamento com o processo de ensino-aprendizagem. Veja a seguir um exemplo de objetivo geral para o curso "Elaboração de Planos Educacionais para Projetos Estratégicos".

- **Exemplo de Objetivo Geral:** Ao final do curso, a partir da metodologia de elaboração de planos educacionais para projetos estratégicos, os alunos deverão ser capazes de planejar ações de TD&E a distância alinhadas com os interesses estratégicos da organização.

Nessa etapa é preciso visualizar o objetivo e identificar todos os seus componentes, conferindo a precisão dos componentes do objetivo listado:

- **Condição:** a partir da metodologia de elaboração de planos educacionais para projetos estratégicos.
- **Desempenho:** planejar ações de TD&E.
- **Critério:** ações a distância e alinhadas com os interesses estratégicos da organização.

Observe que a condição refere-se ao recurso necessário para o exercício do desempenho referido. No caso explicitado, os alunos devem usar a metodologia de elaboração de planos educacionais para projetos estratégicos. A partir da utilização desse recurso, o desempenho poderá ser adequadamente executado. E esse desempenho está delimitado por dois critérios específicos, de forma que somente o planejamento de ações educacionais na modalidade a distância e alinhadas aos interesses estratégicos da organização será considerado válido. A elaboração de planos para ações presenciais e que não atendam aos interesses estratégicos da organização, por mais que constitua indício do desempenho desejado, não será considerada.

Para que os alunos sejam capazes de alcançar o desempenho final, ilustrado anteriormente, outros objetivos precisam ser cumpridos. Desta forma, alguns objetivos específicos foram definidos. Visualize a Figura 3.4 os objetivos gerais e específicos elaborados para o curso de "Elaboração de planos de ensino para ações educacionais a distância".

SELEÇÃO DA MODALIDADE DE ENSINO/APRENDIZAGEM

Para que a modalidade de entrega possa ser adequadamente selecionada, primeiro é preciso organizar as informações sobre o perfil dos aprendizes no que concerne às características demográficas, funcionais e profissionais, além daquelas relacionadas às lacunas de CHAs que motivaram a realização da ação educacional.

As características sociodemográficas – idade, sexo, escolaridade e estado civil – são extremamente úteis para que o profissional responsável pelo planejamento da ação de TD&E, futuramente, possa definir meios, estratégias e procedimentos instrucionais compatíveis com a modalidade de entrega sugerida. Desconsiderar essas informações, relativas à realidade dos futuros participantes do curso, pode gerar uma série de complica-

Planejamento Institucional				
Nome do Curso: Elaboração de planos de ensino para ações de TD&E a distância			
Objetivo Geral: Ao final do curso, a partir da metodologia de elaboração de planos educacionais para projetos estratégicos, os alunos deverão ser capazes de planejar ações de TD&E a distância alinhadas com os interesses estratégicos da organização.			
Objetivos Específicos	Nível de Complexidade	Estratégias e Meios Instrucionais	Critérios de Aprendizagem
Definir componentes dos objetivos			
Redigir objetivos de aprendizagem			
Ordenar objetivos de ensino			
Selecionar estratégias e meios instrucionais			
Definir critérios de avaliação			
Elaborar avaliações de aprendizagem			

FIGURA 3.4 Exemplo de objetivos instrucionais.

ções, como discriminações de gênero, idade, entre outras formas de preconceito.

Imagine que um curso seja projetado para acontecer sexta-feiras à noite e durante os sábados. Agora suponha o seguinte perfil sociodemográfico: entre os participantes, a maioria é composta por mães solteiras que não contam com apoio de amigos e famílias. Como os fins de semana costumam ser dedicados a atividades familiares que não podem ser bem desenvolvidas durante a semana, é provável que em um curso assim projetado as taxas de evasão sejam altas.

Muito importantes também são as informações sobre lotação, cargo, carga de trabalho diária e número de pessoas que necessitam participar da ação de TD&E. Essas informações são decisivas na escolha da modalidade de ensino. Em comparação a outros modos de entrega da instrução, cursos a distância mediados pela *web*, para serem produzidos, demandam altos investimentos, os quais se justificam quando a clientela beneficiária do curso é grande e geograficamente dispersa. Quando os profissionais que necessitam do curso são muito ocupados ou sobrecarregados de trabalho, provavelmente não poderão comparecer a encontros presenciais ou realizar atividades síncronas de treinamento. Tampouco disporão de número fixo e regular de horas diárias para estudo. Nesses casos, cursos presenciais de longa duração e que requeiram muito trabalho extraclasse não obterão sucesso. Assim, conhecer o cargo e a carga de trabalho diária da clientela-alvo, entre outras informações funcionais, é muito relevante.

Caso a oferta de um treinamento assistido por computador, com a veiculação dos conteúdos por meio da *web*, *CD-ROM* ou qualquer outro tipo de mídia eletrônica, seja uma possibilidade altamente atraente, torna-se necessário investigar se a clientela domina essas tecnologias de informação e comunicação. Constatado que a clientela não possui domínio de tais ferramentas, ou serão necessários treinamentos sobre como utilizá-las, ou, nos casos em que essa preparação inicial não for possível, outras mídias dominadas pela clientela terão de ser selecionadas.

> Resumidamente, *a escolha da modalidade do curso*, presencial, híbrida ou a distância, *deve ser pautada nas características sociodemográficas, funcionais e profissionais da clientela*. Além disso, para que a escolha da modalidade de entrega seja eficaz, é necessário analisar os desempenhos (verbo e objeto de ação) contidos nas descrições de necessidades de treinamento ou nos objetivos educacionais a esta altura já delineados, a fim de compreender se são complexos e se a aquisição deles requer *exposição prolongada do aprendiz a determinadas situações de aprendizagem*.

Cursos de longa duração (180 horas ou mais) aplicados a profissionais adultos, que trabalham e dispõem de pouco tempo para estudo, quando disponibilizados a distância, requerem o uso de múltiplas modalidades de entrega dos materiais e supervisão por tutores para que a evasão de alunos não seja alta. Algumas universidades abertas, por exemplo, costumam oferecer cursos de graduação a distância por meio de material impresso e apoio de professores ou tutores de ensino. Além disto, criam mecanismos de contato entre os alunos de modo a otimizar sua interação. Mesmo com todos esses cuidados, essas universidades contabilizam índices de 20 a 30% de desistência. Muitos fatores externos ao curso determinam esses níveis de evasão, entre os quais a falta de apoio familiar, dificuldade de conciliar trabalho, família e estudos, e, ainda, problemas pessoais como morte, adoecimento e/ou perda de familiares.

Devido a esses índices de evasão, e vale ressaltar que índices mais elevados, entre 40 e 50%, são mencionados em estudos realizados no mundo todo, considerar a rotina diária do participante, anteriormente à seleção da modalidade de ensino, torna-se imprescindível, principalmente nos casos de programas realizados totalmente a distância. Nesse ínterim, alguns princípios educacionais sociocognitivos e humanistas, que consideram o adulto responsável pela própria aprendizagem, são de grande valia para o planejador instrucional.

> Considerados esses princípios, *as ações educacionais devem estimular a autonomia, a valorização e o compartilhamento de experiências de vida dos alunos.* Devem ainda propiciar a explicação dos benefícios práticos ou a instrumentalidade do curso para a melhoria do desempenho dos alunos no trabalho e/ou em outras esferas de vida, bem como a aplicabilidade das novas capacidades nos diversos contextos de vida desse adulto aprendiz.

Posteriormente à análise do perfil da clientela, bem como de suas necessidades educacionais, o planejador instrucional encontra-se apto a tomar decisões mais precisas quanto à seleção da modalidade de ensino. Para tanto, o planejador deve ser capaz de avaliar a eficácia das modalidades de ensino-aprendizagem, bem como a disponibilidade, em quantidade e qualidade, dos recursos humanos, financeiros, materiais e tecnológicos necessários à instrução.

Há três modalidades principais de ensino-aprendizagem: presencial, a distância e híbrida. A primeira, considerada ainda a forma mais tradicional, envolve encontros síncronos entre professores e alunos e a disponibilização dos conteúdos por meio de materiais impressos (textos, *slides*, exercícios) e outros veículos e comunicação. Nessa modalidade, o professor é o principal responsável pela concepção, sob orientação do planejador instrucional, e pela transmissão dos conteúdos. Os demais veículos ou mídias são, geralmente, apenas recursos de apoio instrucional.

Ações educacionais a distância e híbridas, por outro lado, envolvem a mediação das interações do aluno por materiais e pessoas (professores, tutores, monitores, colegas, apoio técnico etc.). Os materiais didáticos assumem, nessa modalidade, uma grande importância no processo de ensino-aprendizagem. A distância física e temporal geralmente observada entre os atores (tutor-aprendiz, aprendiz-aprendiz etc.) exige a mediação por meio de algum veículo de apoio, como material impresso, *CD-ROM*, TV, vídeo, rádio, entre outras ferramentas geradas com o advento das Novas Tecnologias da Informação e Comunicação (NTICs). Não apenas os meios ou mídias fazem mediação; neste ponto, o papel da tutoria também é de suma importância.

A escolha da modalidade, assim, se dá em função das oportunidades e restrições impostas pela organização, além das características da clientela e das necessidades educacionais. Cursos mediados pela *web*, por exemplo, requerem equipamentos, *softwares* e redes de comunicação internas e externas compatíveis com o tipo de conteúdo e exercícios utilizados no curso. De nada adianta criar um programa instrucional assistido por computador ou pela *web* se a clientela não puder acessá-lo com eficiência. Em suma, recomenda-se que os seguintes passos orientem as decisões sobre modalidade de ensino.

1. Analisar o perfil quantitativo (número de participantes) e qualitativo (sociodemográfico, funcional, profissional etc.) da clientela.
2. Analisar a natureza (cognitiva, afetiva ou psicomotora) e o nível (complexidade, internalização ou automatização) das necessidades educacionais.
3. Analisar as diferentes alternativas de escolha e definir aquela(s) mais bem adaptada(s) à rotina e características da clientela.
4. Analisar a disponibilidade dos recursos financeiros, materiais e tecnológicos disponíveis na organização necessários à implantação das modalidades anteriormente consideradas.
5. Decidir sobre a modalidade de entrega da ação educacional.

Veja, a seguir, um exemplo de descrição da clientela do curso "Elaboração de planos de ensino para ações de TD&E a distância" (Figura 3.5), cujos objetivos gerais e específicos foram anteriormente definidos. Nesse exemplo, o desempenho final do curso pode ser deduzido do próprio nome do programa, qual seja, elaborar planos de ensino para ações educacionais a distância. Observe também que os 120 participantes encontram-se dispersos geograficamente e que, em média, gostam de estudar sozinhos, à noite e em casa, hábitos favoráveis à participação em programas de Educação a Distância (EaD). A isso soma-se o fato de a maioria já ter participado de ações desta natureza e dominar ferramentas do pacote *Office* e de EaD. Vale ressaltar, porém, que, caso a modalidade a distância seja selecionada, os participantes deverão ter a oportunidade de imprimir o material didático do curso. Por fim, a organização parece contar com recursos suficientes para a seleção da modalidade a distância.

Atente para o seguinte fato: se a modalidade de entrega selecionada for a presencial, apenas o cumprimento dos passos em seguida explicitados torna-se necessário. Entretanto, caso a modalidade sugerida seja aquela a distância, então outras exigências emergirão (p. ex., transposição de conteúdos para a *web*). De qualquer forma, mesmo no caso de cursos a distância as etapas adiante devem ser devidamente seguidas.

Planejamento Institucional			
Nome do Curso: Elaboração de planos de ensino para ações de TD&E a distância			
Perfil Médio dos Participantes			
Quantidade: 120	Dispersos Geograficamente: (S) (N)		
Como gosta de estudar:	(sozinho)	(em dupla)	(em grupo)
Quando prefere estudar:	(manhã)	(tarde)	(noite)
Onde prefere estudar:	(casa)	(trabalho)	(outros locais)
Como gosta de ler os materiais:		(computador)	(papel)
Já fez curso a distância: (S) (N)	Pela Empresa: (S) (N)		
Domina Office: (S) (N)	Domina ferramentas de EaD: (S) (N)		
Modalidade Sugerida: ( ) presencial (X) a distância ( ) híbrida			
Disponibilidade de recursos: Financeiros (S) ou (N)	Material (S) ou (N)		Tecnológica (S) ou (N)

FIGURA 3.5 Exemplo de seleção de modalidade de ensino/aprendizagem.

ANÁLISE, CLASSIFICAÇÃO E ORDENAÇÃO DE OBJETIVOS INSTRUCIONAIS

A fim de que os objetivos anteriormente definidos possam ser qualitativamente avaliados, bem como ordenados em uma sequência que estimule e facilite a tarefa do aprendiz, serão utilizadas as taxonomias de objetivos educacionais (TOE) de Bloom, no caso dos domínios cognitivo e afetivo de aprendizagem, e de Simpson, para o domínio psicomotor, tal como descrito por Rodrigues Jr. (1997).

Segundo o autor, uma taxonomia é caracterizada pelo arranjo sistemático de objetos em grupos ordenados, de forma que seu uso implica em um sentido de hierarquia, sequenciação e cumulatividade. As taxonomias devem representar resultados de aprendizagem, sendo que categorias de resultados de aprendizagem mais complexas dependem das mais simples para ocorrerem. Além disso, cada taxonomia deve ser orientada por um princípio integrador de categorias. No Quadro 3.2 são descritos os resultados de aprendizagem, os níveis e o princípio integrador de cada TOE.

É importante ressaltar que os resultados de aprendizagem dos domínios cognitivo, afetivo e psicomotor não ocorrem separadamente. A separação em três domínios é meramente didática e objetiva facilitar a defini-

QUADRO 3.2 Taxonomias de aprendizagem

Domínio	Resultados de Aprendizagem	Níveis	Princípio Integrador
Cognitivo	Atividades intelectuais envolvidas no processo de aprendizagem	■ Conhecimento ■ Compreensão ■ Aplicação ■ Análise ■ Síntese ■ Avaliação	Grau de complexidade
Afetivo	Atitudes, valores, interesses e tendências emocionais existentes nas interações presentes na aprendizagem	■ Receptividade ■ Resposta ■ Valorização ■ Organização ■ Caracterização	Grau de internalização
Psicomotor	Atividades motoras ou musculares envolvidas no processo de aprendizagem	■ Percepção ■ Posicionamento ■ Execução acompanhada ■ Mecanização ■ Completo domínio	Grau de automatização

Fonte: Rodrigues Jr. (1997).

ção de procedimentos instrucionais (meios e estratégias de ensino, métodos de avaliação etc.) de acordo com o comportamento predominante esperado do indivíduos no evento instrucional, como ilustrado na Figura 3.6 representa a relação entre os domínios de aprendizagem.

Os *objetivos cognitivos* enfatizam a recordação ou a resolução de alguma tarefa intelectual. Os resultados de aprendizagem neste domínio variam de uma simples evocação de informações, como lembrar as iniciais dos departamentos da empresa, até formas criativas de combinar ideias e materiais para produzir a solução de um problema, como apresentar uma proposta inovadora para fixar a imagem de um produto junto a clientes. Os objetivos do domínio cognitivo são os resultados de aprendizagem mais frequentemente descritos em programas de TD&E em organizações contemporâneas. O princípio integrador dessa taxonomia é o grau de complexidade dos resultados almejados (Figura 3.7), que podem ser dispostos em seis categorias: conhecimento (mais simples), compreensão, aplicação, análise, síntese e avaliação (mais complexo).

O nível de *Conhecimento* refere-se aos comportamentos que requerem a evocação, por reconhecimento ou memória, de ideias, informações, objetos, materiais ou fenômenos. Envolve a evocação de conhecimentos de informações específicas, terminologias, fatos, convenções, tendências e

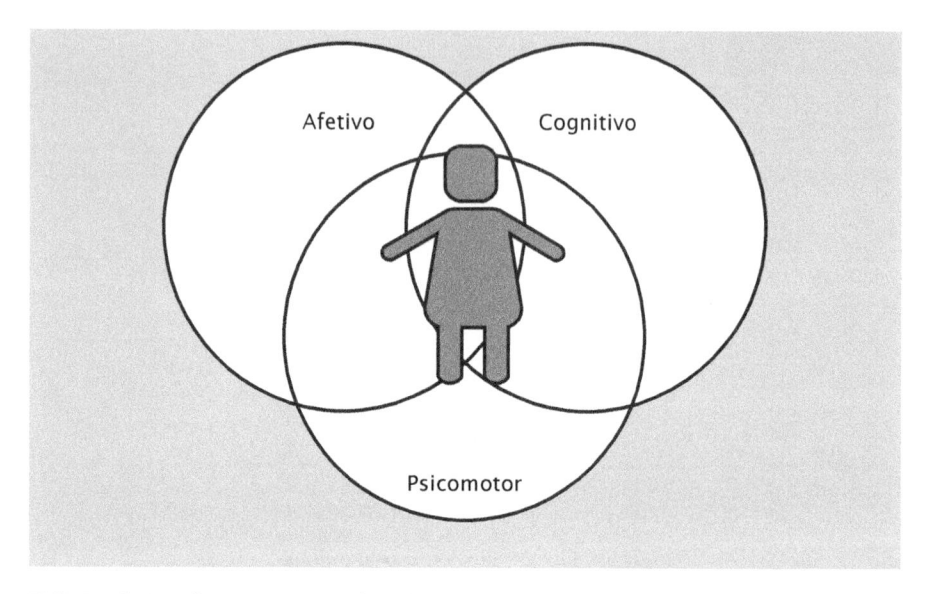

FIGURA 3.6 Relação entre os domínios de aprendizagem.

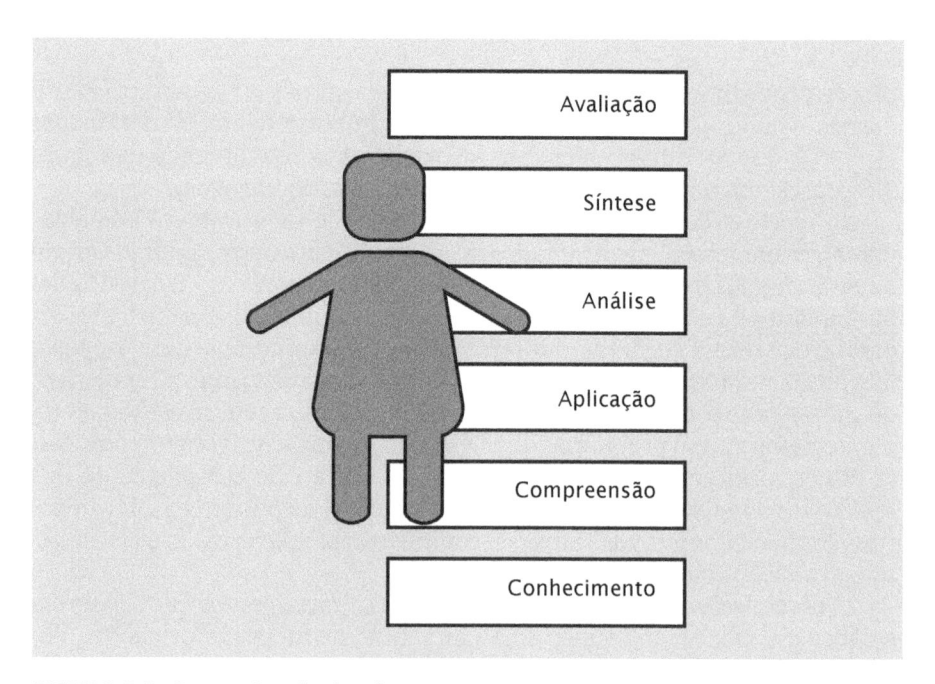

FIGURA 3.7 Categorias do domínio cognitivo.

sequências, classificações, categorias e critérios. Todos esses resultados indicam a capacidade de evocar informações e não de saber utilizá-las. Nesse caso, o aprendiz será capaz de escrever, indicar ou dizer algo relativo ao conteúdo ensinado.

O segundo nível da hierarquia, *compreensão*, requer do aprendiz elaboração do material ou da informação original. A modificação desse material, entretanto, será pequena. O aprendiz deverá ser capaz de usar a informação original e ampliá-la, reduzi-la, representá-la de outras maneiras ou de prever consequências resultantes da informação aprendida. Sabe-se que o aprendiz compreendeu um texto, por exemplo, quando é capaz de resumi-lo. Não se espera, entretanto, que ele saiba analisar os princípios ou conclusões desse texto, o que envolveria o uso de capacidades mais complexas.

O terceiro nível, *aplicação*, refere-se à capacidade de usar corretamente uma informação genérica em uma situação nova e específica. A aplicação, como todas as demais categorias taxonômicas, tem como requisitos as anteriores: conhecimento e compreensão. Um exemplo desse tipo de resultado de aprendizagem seria o seguinte: solicitar ao participante de um treinamento em legislação trabalhista que, após tomar conhecimento das normas legais e de alguns exemplos práticos, aplique a lei em um caso real específico. A aplicação difere do conhecimento e da compreensão porque esses últimos exigem do aprendiz capacidades mais simples como a de recordar-se da lei ou resumi-la, enquanto que a primeira categoria envolve a capacidade de usar a lei em uma situação ainda não estudada.

A quarta categoria, *análise*, refere-se a um nível mais avançado de complexidade e enfatiza a capacidade de desdobrar o material ou a informação em suas partes constitutivas (p. ex., distinguir fatos de hipóteses, reconhecer suposições não explicitadas em uma comunicação), em perceber as inter-relações e os princípios que regem as relações entre elas (p. ex., verificar os fatos, as suposições ou os argumentos utilizados por um autor para defender uma tese, reconhecer relações causais, reconhecer pontos de vista de um escritor em uma narrativa histórica, deduzir um conceito de um autor sobre ciência, arte ou política a partir de um exemplo por ele utilizado).

A *síntese* representa os resultados de aprendizagem nos quais se requer que o aprendiz produza algo novo a partir dos materiais e das informações originais oriundas da instrução. Neste caso, o indivíduo deverá reunir elementos de diversas fontes e reorganizá-los em uma estruturação nova e original. Uma ação correspondente a esta categoria pressupõe os processos requeridos nas categorias anteriores. Compreensão, aplicação e análise também exigem organização de informações, mas esses processos tendem a ser mais parciais e menos completos do que a síntese. Além disso, nas categorias anteriores, não se atribui tanta importância à originalidade e à singularidade da ação do aprendiz. Na síntese, o que se requer do aprendiz é que ele crie algo novo a partir da novas combinações de materiais e informações anteriormente aprendidos por ele. Exemplos desse tipo de capacidade seriam: redigir um relatório científico de forma clara, objetiva e esclarecedora, expor de improviso um tema específico, planejar um curso gerencial utilizando as taxonomias de Bloom, criar testes de avaliação de aprendizagem ou propor políticas de desenvolvimento de recursos humanos.

Na taxonomia do domínio cognitivo, a *avaliação* é a categoria mais complexa. Inclui processos de julgamento acerca do valor de ideias, trabalhos, métodos, informações, teorias, produtos etc. O processo de avaliar consiste basicamente em confrontar uma informação, ideia, produto etc., com um critério ou conjunto de critérios internos ou externos ao objeto. Diz-se que um critério é interno quando os padrões de crítica referem-se à exatidão, coerência, precisão e/ou à ausência de falhas localizáveis no próprio material ou informação avaliada, como julgar um relatório pela exatidão da linguagem e sua coerência com os objetivos do trabalho. Um critério é considerado externo quando os padrões de julgamento podem ser encontrados em normas externas ao objeto ou informação. Um exemplo desse tipo de julgamento seria avaliar a produção científica de um pesquisador comparando-a à média nacional atingida por pesquisadores da mesma área. A avaliação inclui todas as demais categorias de aprendizagem. Veja agora alguns exemplos de objetivos para cada um dos níveis de aprendizagem do domínio cognitivo anteriormente discutido.

- **Avaliação**: Avaliar a conformidade de objetivos instrucionais às necessidades de TD&E identificadas.
- **Síntese**: Formular objetivos educacionais que contenham descrições de condições, desempenho e critérios.
- **Análise**: Analisar a qualidade de objetivos educacionais.
- **Aplicação**: A partir de uma lista de verbos de ação, escolher aqueles que expressam ações concretas, mensuráveis e observáveis.
- **Compreensão**: Explicar a importância do uso de verbos observáveis e concretos na etapa de construção de objetivos educacionais.
- **Conhecimento**: Listar as cinco etapas de um processo de planejamento instrucional.

Agora veja no Quadro 3.3 alguns verbos de ação, ordenados segundo o nível de complexidade a que se referem, que podem ser utilizados na definição de objetivos de ensino para o domínio cognitivo de aprendizagem.

QUADRO 3.3	Verbos de ação para o domínio cognitivo		
Níveis	**Verbos de Ação**		
Conhecimento	Arranjar Ordenar Listar	Definir Duplicar Enumerar Repetir	Nomear Reproduzir Relatar
Compreensão	Classificar Discutir Selecionar Localizar	Reconhecer Explicar Identificar Falar	Descrever Revisar Indicar Traduzir
Aplicação	Aplicar Praticar Dramatizar	Operar Demonstrar Empregar Usar	Escolher Preparar Ilustrar
Análise	Analisar Criticar Testar Planejar	Categorizar Examinar Diferenciar Organizar	Comparar Questionar Distinguir Propor
Síntese	Sintetizar Construir	Formular Administrar	Criar Estabelecer
Avaliação	Avaliar Predizer	Julgar	Argumentar Estimar

Já os *objetivos afetivos* enfatizam resultados de aprendizagem expressos em termos de interesses, atitudes, apreciações, valores, disposições ou tendências emocionais. Alguns exemplos consistem no tratamento cordial de pessoas em uma fila de atendimento hospitalar, ou a valorização dos sentimentos pessoais do subordinado. O fio condutor do *continuum* de resultados afetivos é o grau de internalização com que determinados valores estão presentes nas interações entre o aprendiz e a instrução. Cinco níveis compõem a taxonomia para os processos afetivos: receptividade ou acolhimento, resposta, valorização, organização e caracterização. O princípio organizador do *continuum* desta taxonomia é a internalização do valor.

A internalização refere-se aos processos de incorporação ou adoção de um valor pelo indivíduo. Um valor é um princípio, um ideal ou uma prática que orienta, direciona ou privilegia o curso de ação de uma pessoa. São exemplos de valores: respeito à natureza, tolerância a diferenças, precisão na avaliação de outras pessoas, fidelidade nas relações conjugais, honestidade nos procedimentos administrativos, respeito à pessoa humana. Os processos de incorporação e adoção de um valor podem ocorrer em diferentes níveis, que vão desde o simples acolhimento até a mudança total de concepção de vida de uma pessoa. Assim, receptividade ou acolhimento representa o nível mais baixo de internalização e a caracterização, o mais alto nível de incorporação de um valor. A Figura 3.8 apresenta a taxonomia de objetivos afetivos.

O primeiro nível, *receptividade* (acolhimento ou aquiescência), refere-se ao grau de atenção do aprendiz em relação a um determinado valor. Pode ser observado quando o aprendiz dirige sua atenção para ele de modo intencional e seletivo. Até este ponto, o indivíduo age passivamente em relação ao valor, mas ainda não em função dele. Um exemplo deste tipo de processo seria prestar atenção a uma palestra sobre os males do tabagismo ou sobre as vantagens associadas a exercer uma forma participativa e democrática de gestão das pessoas.

A segunda categoria, *resposta,* supõe alguma ação do indivíduo em relação ao estímulo proporcionado. Essa resposta pode ir da simples obediência a determinações explícitas (p. ex., listar, a pedido de outra pessoa, os malefícios do tabagismo ou relacionar as vantagens associadas à adoção de uma forma democrática de gestão de pessoas), até a manifestação de alguma satisfação por parte do aprendiz em relação ao valor (p. ex., perceber ganhos de parar de fumar, sentir-se bem ao falar sobre práticas participativas de gestão de pessoas).

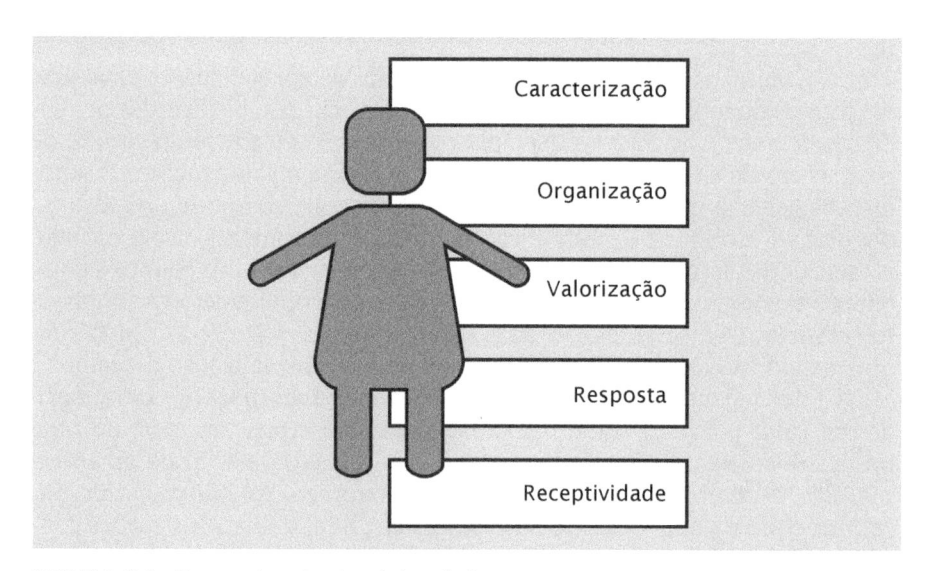

FIGURA 3.8 Categorias do domínio afetivo.

No terceiro nível, encontra-se a categoria *valorização*. Resultados de aprendizagem desse tipo indicam que o valor comunicado na instrução foi internalizado pelo aprendiz. Existem características que distinguem *valorização* de *resposta*. Uma delas é a consistência (a adoção do valor não é esporádica), outra é a persistência (prolonga-se no tempo para além da instrução), e há também a persuasão (o aprendiz procura convencer outras pessoas sobre a importância de um determinado valor). Esse valor passa a ser usado pelo indivíduo como critério de julgamento e tem características em comum com as crenças e atitudes pessoais. Um exemplo desse tipo de aprendizagem pode ser observado no comportamento de alguém que tenta convencer outras pessoas a abandonarem o vício de fumar ou a praticarem gestão participativa no trabalho.

A quarta categoria, *organização*, refere-se aos processos de reinterpretação do valor comunicado pela instrução à luz de outros valores análogos ou antagônicos ao original. Nesse nível, o aprendiz analisa os diferentes ângulos do valor adquirido, compara-o com valores concorrentes e reelabora suas crenças e atitudes pessoais em função das novas informações. O resultado é uma definição pessoal, única e singular do valor em foco. Exemplo desse tipo de elaboração seria o de um indivíduo que repensa seus hábitos de alimentação e suas atitudes em relação ao lazer e ao exercício físico, após ter decidido parar de fumar. Outro exemplo seria o de um gestor que modifica suas estratégias de gestão, revendo suas atitudes em relação ao compartilhamento de informações, problemas e soluções de trabalho com a equipe e com a família.

A última categoria, *caracterização*, corresponde aos resultados de maior grau de internalização de valores. Neste nível, o valor passa a ser uma característica global incorporada ao comportamento do indivíduo. Até o nível de valorização é possível desenvolver os comportamentos pertinentes em ambientes educacionais. Os dois últimos níveis, organização e caracterização, requerem a exposição duradoura e prolongada do indivíduo a diferentes situações e contextos de aprendizagem, além do desenvolvimento simultâneo de capacidades cognitivas complexas. Veja agora alguns exemplos de objetivos para cada um dos níveis de aprendizagem do domínio afetivo anteriormente discutido.

- *Caracterização*: Agir de acordo com os princípios éticos explicitados na carta de valores e crenças da organização.
- *Organização*: Julgar, na organização, comportamentos que expressem manifestações de condutas éticas e antiéticas.
- *Valorização*: Apoiar a organização em campanhas e manifestações contrárias a atitudes antiéticas em negociações com seus clientes.

- *Resposta*: Obedecer aos princípios éticos explicitados na carta de valores e crenças da organização.
- *Receptividade*: Estar alerta às consequências negativas associadas a atitudes antiéticas em negociações com clientes da organização.

Agora veja no Quadro 3.4 alguns verbos de ação ordenados segundo o nível de internalização a que se referem, que podem ser utilizados na definição de objetivos de ensino para o domínio afetivo de aprendizagem.

Por fim, os *objetivos psicomotores* referem-se a ações motoras ou musculares envolvidas na manipulação de materiais, objetos ou substâncias. Compreendem resultados de aprendizagem que requerem movimentos corporais globais, como correr, jogar tênis, nadar ou digitar um texto com rapidez e precisão, ou movimentos parciais, como desenhar, aplicar uma injeção ou ajustar o foco de uma máquina fotográfica. O princípio organizador desse sistema de classificação é a automatização, que ordena os objetivos de aprendizagem em cinco estágios: percepção, posicionamento, execução acompanhada, mecanização e completo domínio dos movimentos (Figura 3.9).

A *percepção* consiste na atenção prestada pelo aprendiz aos movimentos componentes da ação completa, suas conexões e consequências. Até este ponto o aprendiz apenas observa sem executar as ações. Os passos iniciais da aprendizagem da habilidade de dirigir automóveis envolvem, por exemplo, observar a posição do corpo, dos pés e das mãos do condutor ao realizar os movimentos de aceleração, desaceleração, mudança de marchas, ajuste de espelhos retrovisores, ajuste do assento etc. Envolvem,

QUADRO 3.4	Verbos de ação para o domínio afetivo		
Níveis	Verbos de Ação		
Recepção	Ouvir	Demonstrar tolerância a	Estar alerta a seguir
Resposta	Replicar Aprovar	Responder	Obedecer
Valorização	Assumir Alcançar	Apoiar	Participar Atingir
Organização	Organizar	Selecionar Decidir	Julgar
Caracterização	Identificar-se com	Praticar	Agir de acordo com

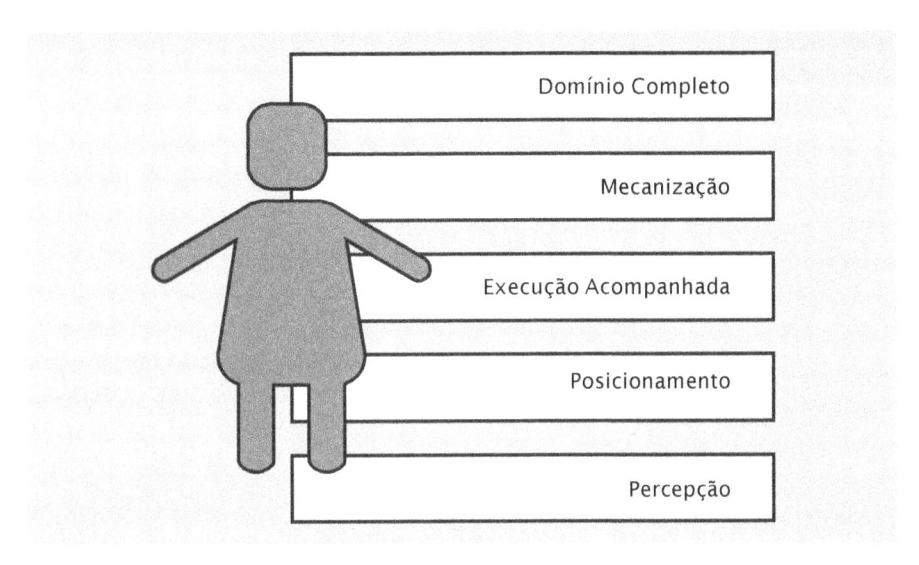

FIGURA 3.9 Categorias do domínio psicomotor.

(Categorias mostradas na figura, de cima para baixo: Domínio Completo, Mecanização, Execução Acompanhada, Posicionamento, Percepção.)

além disso, a observação do comportamento do condutor diante dos diferentes sinais de trânsito e condições de tráfego.

O segundo estágio da aprendizagem de uma habilidade psicomotora é o *posicionamento*. Neste ponto, o aprendiz ajusta seu corpo para executar os movimentos, porém ainda não os executa. Ajusta-se e ajusta o ambiente para executar os movimentos. No exemplo de dirigir um automóvel, o indivíduo, ao entrar no carro, seria capaz de posicionar-se adequadamente para realizar a atividade motora, de colocar e ajustar o cinto de segurança, de ajustar a posição do assento, do encosto do banco e dos espelhos retrovisores. Além disso, observaria as condições do tráfego e testaria os demais recursos do carro antes de colocá-lo em movimento.

O terceiro estágio, denominado *execução acompanhada*, refere-se àquele no qual o aprendiz executa de modo hesitante os movimentos componentes da ação global. Nesta fase, o aprendiz depende de instruções e acompanhamento. Ele já é capaz de realizar corretamente sequências completas de comportamentos, porém ainda não as automatizou a ponto de exercê-las sem a ajuda de outra pessoa. Nesta fase, o indivíduo já é capaz de trocar as marchas, acelerar, desacelerar e reagir adequadamente a algumas situações de tráfego.

O quarto componente da taxonomia, *mecanização*, refere-se a ações completas executadas correta e inconscientemente pelo aprendiz. As sequências de movimentos estão automatizadas e são rotineiras para o indivíduo. A sua atenção finalmente poderia voltar-se para os perigos e desafios do tráfego. Nesta etapa, o aprendiz conduziria o automóvel quase sem cometer erros e sem qualquer auxílio de outra pessoa.

Na última categoria, *completo domínio de movimentos*, o indivíduo já seria capaz de executar as ações motoras automaticamente e sem erros. Nesta fase, o motorista dirige bem em quaisquer condições de tráfego e situações, sem se acidentar ou infringir as leis de trânsito. Veja agora alguns exemplos de objetivos para cada um dos níveis de aprendizagem do domínio psicomotor anteriormente discutido.

- *Domínio Completo*: Orientar colegas menos experientes no abastecimento de centrais de autoatendimento com os materiais preparados.
- *Mecanização*: Abastecer, sem supervisão de outra pessoa, as centrais de autoatendimento com os materiais necessários.
- *Execução Acompanhada*: Abastecer, sob supervisão de colega mais experiente, as centrais de autoatendimento com os materiais preparados.
- *Posicionamento*: Preparar os materiais necessários ao abastecimento de centrais de autoatendimento.
- *Percepção*: Atentar para a forma como as centrais de autoatendimento são abastecidas com dinheiro, talões de cheque, rolos de papéis etc.

Agora veja, no Quadro 3.5, alguns verbos de ação, ordenados segundo o nível de complexidade a que se referem, que podem ser utilizados na definição de objetivos de ensino para o domínio psicomotor de aprendizagem.

Tendo sido classificados os objetivos de ensino de acordo com o nível de complexidade (domínio cognitivo), de internalização (domínio afetivo) ou de automatização (domínio psicomotor), é preciso apenas ordená-los. É importante ressaltar que, além da necessidade de a ordenação dos objetivos educacionais se dar em função dos níveis de aprendizagem estabelecidos pelas TOEs, a lógica da execução da atividade também deve ser utilizada como guia nesta sequenciação. Casos de incompatibilidade entre uma e outra lógica geralmente são resolvidos com a criação de unidades ou módulos de cursos integrados por objetivos articulados, mas referentes a partes diferentes de um processo ou de uma atividade profissional.

Na Figura 3.10 é apresentado um exemplo de ordenação dos objetivos educacionais para o curso "Elaboração e análise de programas de TD&E". Observe a lógica – da sequência das atividades executadas – utilizada na ordenação dos objetivos de ensino (todos relativos ao domínio cognitivo de aprendizagem). Veja também a classificação geral dos objetivos de aprendizagem no campo "domínio predominante". Essas observações serão de grande valia para a próxima etapa, momento em que, para cada objetivo específico delineado, serão escolhidos meios e estratégias de ensino compatíveis com seus níveis de complexidade.

Manual de Treinamento Organizacional 103

QUADRO 3.5	Verbos de ação para o domínio psicomotor		
Níveis	**Verbos de Ação**		
Percepção	Atentar	Coordenar	Identificar
Posicionamento	Ajustar	Observar	Preparar
Execução Acompanhada	Executar	Acionar	Raspar
Mecanização	Guiar	Engrenar	Dançar
Domínio Completo	Dirigir	Tocar	Escrever

Planejamento Institucional			
Nome do Curso: Elaboração de planos de ensino para ações de TD&E a distância			
Objetivo Geral: Ao final do curso, a partir da metodologia de elaboração de planos educacionais para projetos estratégicos, os alunos deverão ser capazes de planejar ações de TD&E a distância alinhadas com os interesses estratégicos da organização.			
Domínio Predominante: Cognitivo			
Objetivos Específicos	Nível de Complexidade	Estratégias e Meios Instrucionais	Critérios de Aprendizagem
Definir componentes dos objetivos	Conhecimento		
Redigir objetivos de aprendizagem	Síntese		
Ordenar objetivos de ensino	Análise		
Selecionar estratégias e meios instrucionais	Aplicação		
Definir critérios de avaliação	Síntese		
Elaborar avaliações de aprendizagem	Síntese		

FIGURA 3.10 Exemplo de classificação de objetivos de ensino.

SELEÇÃO OU DESENVOLVIMENTO DE ESTRATÉGIAS E MEIOS INSTRUCIONAIS

Estratégias ou procedimentos instrucionais referem-se a todas as operações, eventos ou situações de aprendizagem, criadas no desenho da instrução para facilitar os processos de aquisição, retenção e transferência de aprendizagem. São, assim, as técnicas, os métodos e as abordagens utilizadas durante a instrução para que o aprendiz seja capaz de efetuar os desempenhos descritos nos objetivos educacionais.

Visto que as estratégias visam a facilitar a aprendizagem dos alunos de determinadas capacidades, tais recursos devem estar centrados na clientela e não no instrutor, para que favoreçam a prática e a intervenção ativa dos participantes mediante a resolução de exercícios, problemas e estudos de caso. Devem ser selecionados materiais, exemplos e imagens que permitam apresentar adequadamente a informação para os participantes, auxiliando-os no alcance dos objetivos propostos. Portanto, a seleção de estratégias e meios para uma ação de TD&E deve basear-se não somente na qualidade das apresentações pelo instrutor, mas, fundamentalmente, na intenção de facilitar a aprendizagem do participante. Do ponto de vista do participante, a utilização desses recursos instrucionais objetiva servir de apoio à prática e à simulação de sua realidade.

A seleção deve, portanto, fundamentar-se em uma série de perguntas que relacionam os objetivos específicos e o conteúdo do treinamento com as características de cada estratégia e meio instrucional. Assim, para cada um dos objetivos específicos elaborados, é preciso selecionar os mecanismos mais adequados para o processo de aprendizagem.

> Similarmente ao processo de definição dos objetivos, *a seleção de meios e estratégias deve ser guiada*, sempre, *pela natureza* (domínio de aprendizagem do objetivo) *e especificidade* (nível dos resultados de aprendizagem) *dos objetivos específicos, bem como pelas características individuais do público--alvo* da ação educacional em construção.

Cursos de natureza cognitiva, por exemplo, exigem o repasse de informações, conceitos, metodologias e procedimentos técnicos, de forma que os alunos, seja por meio de um professor ou de um objeto de aprendizagem, devem ter a oportunidade de acessar tais materiais. Mais do que isso, ações educacionais, ainda no domínio cognitivo, podem exigir que os alunos desempenhem, de fato, alguma atividade. Nesse caso, somente a exposição dos conteúdos não é suficiente. É necessário, além disso, que os participantes tenham condição de praticar a habilidade, por meio de estudos de casos, simulações, trabalhos de campo etc. O mesmo vale para programas na esfera psicomotora: as estratégias devem favorecer o exercício da habilidade.

No caso de ações que visem ao desenvolvimento de atitudes (ou comportamentos), a interação entre alunos e destes com professores e tutores é fundamental. O planejador instrucional deverá escolher os meios que viabilizem esse tipo de situação. Dinâmicas de grupo, debates, modelações comportamentais são de grande valia. Em programas presenciais, o leiaute da sala, a quantidade e o tipo de cadeiras e de mesas são importantes aspectos a serem considerados na produção de um curso atitudinal. Nesses programas, a sala é parte das condições e dos recursos de ensino. Em cursos a distância, mediados pela *web*, é um desafio a escolha de situações de interação entre aprendizes que possibilitem o fortalecimento de vínculos afetivos entre os atores envolvidos.

Em suma, as estratégias ou os meios instrucionais devem ser selecionados para que as capacidades visadas possam ser aprendidas pelos participantes, independentemente de o professor ser ou não responsável por tal processo. Desta forma, as habilidades do instrutor em manusear tais mecanismos jamais devem prevalecer na seleção dos meios e das estratégias instrucionais. Para facilitar a seleção desses mecanismos, em seguida, é apresentada uma extensa relação de alternativas possíveis (Quadro 3.6). O foco da escolha, portanto, deve ser sempre o aprendiz, o qual deve se engajar em situações de aprendizagem, criadas pelo planejador, que reproduzam o mais fielmente a realidade com a qual ele se confrontará após a instrução.

Além dessas estratégias, existem outras que combinam diferentes mídias e procedimentos de ensino como: discussão em grupo com apresentação de filme, com ou sem parada do filme para perguntas, esclarecimentos ou respostas dos treinandos; apresentação e discussão de filmes convencionais; simulação de uma situação dinâmica com desempenho de funções de trabalho e tarefas em uma situação prática, usando instrumentos e equipamentos reais; desempenho de um trabalho, supervisionado ou não, em uma situação real, simulada ou não; instrução assistida por computador para apresentar programas envolvendo alternativas de decisões complexas (árvore de decisão), jogos e exercícios interativos.

O uso isolado ou combinado das estratégias instrucionais é, mais uma vez, atribuição do planejador, a ser cumprida tendo em vista os objetivos educacionais e as características dos alunos. Lembre-se de que o objetivo primário é facilitar o processo de aprendizagem do aluno. Veja na página 108 um exemplo de seleção de estratégias de ensino para o curso "Elaboração de planos de ensino para ações de TD&E a distância (Figura 3.11).

| QUADRO 3.6 | Exemplos de estratégias instrucionais |

Estratégias Instrucionais

Exposição Oral/Palestra: apresentação oral cuidadosamente preparada por pessoa qualificada em um assunto.

Projeto: atividade organizada para a execução de uma tarefa ou atividade de resolução de problemas.

Debate: discussão formalmente estruturada em que duas equipes defendem argumentos opostos em relação a um tópico

Projeto em equipe: um pequeno grupo de aprendizes trabalhando cooperativamente para executar uma tarefa ou resolver um problema.

Demonstração: apresentação cuidadosamente preparada para mostrar como executar uma ação ou utilizar um procedimento, acompanhada de explicações orais, visuais, ilustrações e, em alguns casos, por questionamentos.

Seminário: um ou mais grupos preparam um estudo ou projeto sobre um tópico (usualmente escolhido pelo professor) e apresentam suas descobertas ao restante do grupo. Essa atividade é seguida de uma discussão, orientada pelo professor, de modo a levar o grupo a extrair conclusões da experiência.

Viagem ou Saída ao Campo: um passeio planejado no qual um grupo visita um local ou objeto de interesse para observá-lo ou estudá-lo.

Reunião com Meditação: período de 5 a 60 minutos de meditação e limitada expressão verbal, no qual um grupo de cinco pessoas ou mais refletem em silêncio sobre um assunto. Essa estratégia requer que as pessoas não sejam estranhas umas às outras.

Jogo: atividade instrucional, geralmente competitiva, em que os participantes seguem regras prescritas para vencer um desafio.

Simulação: uma estratégia que envolve abstração ou simplificação de algumas situações, processos ou atividades da vida real.

Discussão em grupo – orientada: conversação proposital, orientada por um líder ou facilitador acerca de um tópico de interesse de um grupo de 6 a 20 pessoas.

Estudo de caso: um tipo de simulação realizada para oportunizar ao aprendiz o tipo de tomada de decisão que será requerida mais tarde em outras situações.

Discussão em grupo – livre: discussão livre acerca de um tópico selecionado pelo professor, em que a aprendizagem ocorre apenas como produto da interação entre os membros do grupo, sem a intervenção direta do professor.

Role Play: um estudo de caso dramatizado; um retrato espontâneo de uma situação, condição ou circunstâncias, construído por participantes do grupo.

Simpósio: encontro de 5 a 30 pessoas em uma residência ou local privativo para apreciar boa comida, entretenimento e camaradagem para discutir informalmente um tópico de interesse mútuo.

Brainstrom: esforço de um grupo para gerar novas ideias para solucionar criativamente um problema.

Entrevista: Apresentação de 5 a 30 minutos seguida por uma atividade em que a

Tutorial programado: método individualizado de instrução em que as decisões são

(Continua)

Manual de Treinamento Organizacional 107

QUADRO 3.6	*(Continuação)*
Estratégias Instrucionais	
pessoa que expôs o assunto responde a questionamentos da audiência acerca de tópicos previamente determinados.	tomadas por um tutor (humano, texto, computador, ou sistemas especialistas/inteligentes). São programados como recursos avançados de estruturação e seleção da instrução. Modelados para o indivíduo, requerem dele respostas ativas e fornecem a ele *feedback* imediato às suas ações.
Laboratório: experiência de aprendizagem na qual os aprendizes interagem com materiais brutos.	**Tutorial conversacional**: método individualizado de instrução no qual o tutor apresenta a instrução de um modo adaptativo; requer participação ativa do aprendiz e fornece *feedback* imediato.
Laboratório orientado: um professor orienta a experiência dos aprendizes com os materiais brutos.	**Diálogo socrático**: um tipo de tutorial no qual o tutor guia o aprendiz até a descoberta por meio de perguntas.
Painel de discussão: grupo de 3 a 6 pessoas, escolhidas por seu interesse, competência e capacidade de verbalizar conhecimentos em relação a um assunto, discute um tópico entre si, antes de responder questionamentos da audiência de aprendizes.	**Estágio supervisionado**: estratégia vivencial de aprendizagem na qual o aprendiz adquire conhecimentos e habilidades por meio da participação direta em atividades supervisionadas por um profissional em situações simuladas que se aproximam das condições sob as quais o conhecimento será aplicado. Em alguns casos, o aprendiz é colocado a executar atividades usando instrumentos e equipamentos reais em situação real, simulada ou não.
Exposição orientada para a descoberta: estratégia na qual os aprendizes respondem questões levantadas pelo professor/instrutor escolhido para guiá-los até a descoberta.	**Modelação comportamental**: abordagem na qual um modelo humano demonstra eficazmente uma habilidade e é reforçado por se comportar daquele modo. Baseia-se na abordagem de aprendizagem social de Bandura, na qual o reforço vicário é capaz de aumentar as chances de que um observador queira comportar-se do mesmo modo que o modelo bem-sucedido.
Prevenção de recaídas: abordagem oriunda da psicologia clínica para tratamento de pessoas viciadas em drogas. Prepara o aprendiz para enfrentar sinais que indicam uma recaída ou retomada de uma atitude ou comportamento indesejável. Desenvolve estratégias de *coping* para que o aprendiz possa atuar aplicando novas aprendizagens em ambientes que impõem muita restrição situacional.	**Dramatização**: abordagens que estimulam o participante a desempenhar papéis de acordo com *scripts* relacionados aos objetivos instrucionais. Em certos exercícios deste tipo, alguns aprendizes apenas observam e discutem a atuação de outros.

(Continua)

QUADRO 3.6	Exemplos de estratégias instrucionais (*Continuação*)
Estratégias Instrucionais	
Pesquisa bibliográfica: abordagem que estimula o aprendiz a buscar informações em fontes confiáveis de dados.	**Painel integrado**: compreende a formação de grupos de estudo que estudarão diferentes partes de um conteúdo. Após, cada grupo relatará os aspectos essenciais dos conteúdos estudados e os discutirá de modo a estabelecer elos de ligação entre as partes dos conteúdos.

Fonte: Adaptado de Reigeluth (1999).

Planejamento Institucional			
Nome do Curso: Elaboração de planos de ensino para ações de TD&E a distância			
Objetivo Geral: Ao final do curso, a partir da metodologia de elaboração de planos educacionais para projetos estratégicos, os alunos deverão ser capazes de planejar ações de TD&E a distância alinhadas com os interesses estratégicos da organização.			
Domínio Predominante: Cognitivo			
Objetivos Específicos	Nível de Complexidade	Estratégias e Meios Instrucionais	Critérios de Aprendizagem
Definir componentes dos objetivos	Conhecimento	Exposição Oral	
Redigir objetivos de aprendizagem	Síntese	Exposição Oral Demonstração Simulação	
Ordenar objetivos de ensino	Análise	Exposição Oral Demonstração Simulação	
Selecionar estratégias e meios instrucionais	Aplicação	Exposição Oral Demonstração Simulação	
Definir critérios de avaliação	Síntese	Exposição Oral Projeto em Equipe	
Elaborar avaliações de aprendizagem	Síntese	Exposição Oral	

FIGURA 3.11 Exemplo de escolha de estratégias instrucionais.

DEFINIÇÃO DE CRITÉRIOS DE APRENDIZAGEM

Nesta etapa, os objetivos educacionais são analisados de modo a possibilitar a definição e a especificação de critérios de avaliação, os quais serão utilizados na construção de provas de aprendizagem. Os critérios de avaliação de aprendizagem deverão ser extraídos da redação dos próprios objetivos. Caso não tenham sido estabelecidos os critérios do desempenho, geralmente no caso de objetivos muito complexos, será preciso defini-los.

> *Os critérios de aprendizagem* devem servir de parâmetro (qualitativo e/ou quantitativo) para a mensuração do alcance de cada objetivo educacional. *Indicam o grau de proficiência a ser atingido pelo aprendiz durante e após a instrução* e, portanto, devem ser específicos, mensuráveis e precisos.

Suponha que, em um determinado objetivo instrucional, o critério de aprendizagem não tenha sido especificado: listar as etapas de um processo de planejamento instrucional. Para que um critério possa ser estabelecido, o planejador deverá, portanto, definir o nível de exigência de proficiência desejado. No exemplo apresentado, a omissão de uma única etapa do planejamento instrucional, visto que todas são interdependentes, pode prejudicar a execução de todo o processo. Desta forma, o critério é que os participantes listem *todas* as etapas do processo de planejamento instrucional. A Figura 3.12 apresenta os critérios estabelecidos para o curso em desenvolvimento.

Definidos os critérios para cada um dos objetivos específicos do programa, passa-se à construção do processo de avaliação propriamente dito, do qual fazem parte os itens, os instrumentos e os procedimentos de aplicação (quando, quantas vezes, como e conteúdo do *feedback* dos resultados para o aluno). O Quadro 3.7 apresenta os diversos tipos de instrumentos de avaliação de aprendizagem para cada domínio: cognitivo, afetivo e psicomotor.

DESENVOLVIMENTO E VALIDAÇÃO DE MATERIAIS INSTRUCIONAIS

Em atividades humanas de qualquer natureza e nível de proficiência, os materiais escritos são importantes veículos de transmissão de conteúdos e desenvolvimento de habilidades intelectuais. O cuidado com a construção de textos instrucionais deve ser grande em todas as modalidades de ensino, porém é bem maior em situações de educação a distância. Conforme Abbad, Zerbini, Carvalho e Meneses (2006), autores cujas recomendações são aqui utilizadas como guia nas prescrições contidas nesta seção, a preparação de materiais escritos é uma das consequências das

Planejamento Institucional

Nome do Curso: Elaboração de planos de ensino para ações de TD&E a distância

Objetivo Geral: Ao final do curso, a partir da metodologia de elaboração de planos educacionais para projetos estratégicos, os alunos deverão ser capazes de planejar ações de TD&E a distância alinhadas com os interesses estratégicos da organização.

Domínio Predominante: Cognitivo

Objetivos Específicos	Nível de Complexidade	Estratégias e Meios Instrucionais	Critérios de Aprendizagem
Definir componentes dos objetivos	Conhecimento	Exposição Oral	Todos os três componentes
Redigir objetivos de aprendizagem	Síntese	Exposição Oral Demonstração Simulação	Com verbos, condições e critérios precisos
Ordenar objetivos de ensino	Análise	Exposição Oral Demonstração Simulação	De acordo com as Taxonomias de Bloom e Simpson
Selecionar estratégias e meios instrucionais	Aplicação	Exposição Oral Demonstração Simulação	Compatíveis com a natureza e a complexidade do objetivo e o perfil do público-alvo
Definir critérios de avaliação	Síntese	Exposição Oral Projeto em Equipe	Para objetivos cognitivos, do nível de conhecimento ao de avaliação
Elaborar avaliações de aprendizagem	Síntese	Exposição Oral Projeto em	Para objetivos cognitivos, do nível de conhecimento ao de avaliação

FIGURA 3.12 Exemplo de definição de critérios de aprendizagem.

QUADRO 3.7 Exemplos de instrumentos de avaliação de aprendizagem.

Conhecimento

- Testes objetivos
  - Múltipla escolha
  - Verdadeiro e falso
  - Associação

- Testes de respostas construídas
  - Preenchimento de lacunas
  - Produção de ensaios
  - Resolução de problemas

(Continua)

QUADRO 3.7 *(Continuação)*

Habilidade (Cognitivas e Psicomotoras)

- Teste direto do desempenho esperado
  - Análise de indicadores de resultados existentes no contexto
  - Avaliações baseadas em observação direta (com uso de escala)
  - Avaliações baseadas em observação direta (com lista de verificação)
  - Avaliações baseadas em observação indireta
  - Testes com produção de resultados de aprendizagem

Atitudes

- Observação do comportamento
  - Avaliação de atitudes por meio de questionários e escalas
  - Entrevistas

Fonte: Adaptado de Morrinson, Ross e Kemp (2001).

fases anteriores do planejamento instrucional e deve servir para apoiar a instrução em cursos presenciais ou transformar-se na própria instrução em cursos a distância autoinstrucionais. A mensagem pré-instrucional deve conter:

a) **Pré-testes**: servem para avaliar os conhecimentos do aprendiz em assuntos relacionados à instrução. Eles darão uma ideia ao aprendiz sobre o que é esperado que ele aprenda e sobre os pontos-chave do conteúdo da instrução.

b) **Objetivos comportamentais**: explicitam de forma precisa e clara as condições, comportamentos e resultados esperados dele durante a instrução.

c) **Resumo do conteúdo**: serve para despertar a atenção do aprendiz e focá-la nas principais questões e temas tratados durante a instrução.

d) **Organizadores avançados**: são representações que fornecem ao aprendiz um esquema conceitual de alto nível de abstração que servem para facilitar os processos de aquisição, retenção, recuperação e transferência de aprendizagem.

e) **Livro-texto**: o material impresso na instrução baseada em computador ou mídias diversas constitui ferramenta ou interface de interação que assegura o contato do aluno com os materiais instrucionais. O texto deve sinalizar três aspectos principais: (i) estrutura do texto; (ii) coerência entre estrutura e organização, memorização e recordação dos conteúdos; e (iii) adequação do conteúdo ao repertório de conhecimentos do aprendiz. Em termos de conteúdos, pode apresentar listagens de ideias ou itens, comparações e contrastes de ideias, objetos, eventos, sequências temporais para eventos vinculados entre si pelo tempo e ordem de ocorrência, estruturas de causa e efeito ou explicações de eventos e definições e exemplos. O uso de sinais gráficos e tipográficos marcando títulos e subtítulos e aspectos essenciais do texto são muito recomendados por desenhistas instrucionais.

f) **Uso de figuras e animações** em cursos mediados pela *web* é uma poderosa ferramenta instrucional. Há consenso sobre o importante papel exercido por figuras e ilustrações na aprendizagem de materiais textuais. As figuras servem para decorar o texto e chamar a atenção do aluno para um determinado conteúdo ou mudança relevante de conteúdo. Além disso, exercem outros papéis relevantes: (i) representação de pessoas, ferramentas, coisas e eventos; (ii) organização de conteúdos e eventos; (iii) interpretação; e (iv) transformação. A figura, como organizadora de eventos, conteúdos e conceitos, pode servir de suporte ao aprendiz fornecendo para ele um esquema, roteiro ou ajudando-o a recordar e a memorizar fatos, regras, princípios ou, ainda, a representar mentalmente informações abstratas e complexas.

g) **Materiais autoinstrucionais** deverão ser elaborados com muito cuidado para que a instrução seja efetiva. Esses cuidados incluem a preocupação com o tamanho dos textos, flexibilidade, interatividade e interação com outras pessoas (aprendiz-aprendiz, aprendiz-tutor).

Elaborados os materiais instrucionais, passa-se à validação destes e do plano instrucional. A primeira fase desse processo é a escolha da amostra de aprendizes que testará a instrução. A amostra deverá ser quantitativa e qualitativamente representativa da clientela-alvo do curso, definida durante a avaliação de necessidades de treinamento. Escolhida a amostra de acordo com critérios estatísticos e qualitativos, o próximo passo é testar o plano nessa amostra. Nesta fase, a instrução é aplicada na amostra da clientela-alvo para identificar falhas e lacunas, solicitar sugestões de aprimoramento e validar a versão com a equipe que produziu o curso. Os alunos deverão ter o seu rendimento acompanhado, bem como suas reações aos materiais, testes, exercícios, apoio de professores, tutores e monitores e demais procedimentos de ensino.

Para conferir validade, precisão e confiabilidade à coleta de dados, é necessário diversificar as fontes de informação e os instrumentos de aferição da qualidade do plano instrucional. Ao final dessa fase, espera-se obter uma descrição detalhada das falhas e lacunas do plano instrucional, a fim de que os ajustes necessários possam ser efetuados. Os ajustes no plano instrucional devem ser realizados pela equipe de planejamento instrucional. O planejamento instrucional pode sofrer aprimoramento em vários itens. Para verificar se o plano está adequadamente ajustado à clientela, é necessário fazer uma verificação da adequação final do desenho instrucional. Veja algumas perguntas que podem auxiliar a condução deste processo de validação.

1. Os objetivos estão suficientemente claros, completos e descritos em termos de comportamentos observáveis? Estão descritos em linguagem clara e compreensível? Cumpriram o seu papel de guiar a aprendizagem do aluno?
2. A modalidade de ensino/aprendizagem escolhida (presencial, semipresencial ou a distância) é compatível com as características, rotinas e expectativas da clientela?
3. A sequência de apresentação das unidades instrucionais é compatível com os objetivos instrucionais e com o perfil da clientela? Algum elo da sequência de ensino parece estar quebrado ou fraco? A sequência facilita a aprendizagem e motiva o estudo?
4. Os meios e as estratégias de ensino escolhidos facilitam a aprendizagem e estimulam o estudo? Os meios e as estratégias possibilitam ao aluno a prática das ações descritas nos objetivos e aproveitam o que ele já sabe sobre assuntos relacionados ao tema estudado como parte do exercício? Os materiais facilitam o estudo dos conteúdos, ressaltam os aspectos essenciais do texto, facilitam a memorização, a retenção, a recordação dos conteúdos e a transferência de aprendizagem? As figuras e os esquemas são compatíveis com os objetivos instrucionais e são considerados úteis pelo aluno?
5. Os instrumentos de avaliação de aprendizagem mostram-se compatíveis com os objetivos instrucionais e com o perfil da clientela? As avaliações contêm itens compatíveis com o nível de exigência ou critério de avaliação dos objetivos? As avaliações têm caráter instrucional ou são punitivas? Os *feedbacks* são úteis para o aluno? O aluno é capaz de seguir em frente e melhorar seu desempenho a partir dos *feedbacks* que recebe no curso?

Quaisquer respostas negativas a perguntas feitas nessa etapa indicam necessidade de aprimoramento do plano instrucional. Informações avaliativas adicionais sobre a aplicação do plano instrucional serão obtidas após finalizado o programa com as avaliações de retenção a longo prazo e de transferência de aprendizagem.

EXECUÇÃO DA AÇÃO EDUCACIONAL

Preparado e validado o planejamento instrucional, por fim, passa-se à execução da ação educacional. Nesta etapa, além das tradicionais questões operacionais a serem resolvidas, tais como negociações de local, horário e data, por exemplo, é preciso que determinados procedimentos instrucionais sejam desenvolvidos. O objetivo é facilitar o processo de aprendizagem (aquisição, retenção, generalização e transferência) dos CHAs visados na ação educacional. Neste sentido, os seguintes conjuntos de eventos podem ser utilizados, conforme descrito no início deste capítulo, como apoio ao processo de aprendizagem.

1. Criar expectativas de sucesso ou de confirmação de desempenho
2. Informar os objetivos ao aprendiz
3. Dirigir a atenção ao aprendiz
4. Provocar lembrança de pré-requisitos
5. Apresentar material de estímulo
6. Prover orientação de aprendizagem
7. Ampliar o contexto de aprendizagem por meio do uso de situações ou exemplos novos
8. Programar ocasiões de prática, visando repetir o desempenho
9. Provocar o desempenho e prover retroalimentação, confirmando ou corrigindo o desempenho.

Garantido o cumprimento desses procedimentos, seja em ações presenciais ou a distância, as probabilidades de sucesso do programa de TD&E, desde que também obedecidas as etapas anteriores, são altas. Mas isso em termos de resultados de aprendizagem imediata (aquisição de capacidades). No caso de resultados mediatos de aprendizagem, como o desempenho individual pós-treinamento, o sucesso depende, também, de um processo de avaliação de necessidades educacionais que vincule as aprendizagens dos alunos com seus desempenhos no trabalho e, principalmente, com os processos desenvolvidos em suas unidades de trabalho.

CONSIDERAÇÕES FINAIS

Cientes de algumas fundamentações e prescrições da literatura de TD&E sobre a etapa de planejamento instrucional, espera-se que os objetivos informados no início deste capítulo tenham sido devidamente alcançados. Ainda que a abordagem cognitivista tenha sido usada como alicerce do roteiro apresentado ao longo deste capítulo, isso não significa que o processo de aprendizagem sirva à finalidade única, visto o caráter objetivista que assume nessa perspectiva, da conformação dos indivíduos à lógica de um sistema de produção sobre o qual têm pouco ou nenhum controle. Os autores preferem acreditar que a educação, mesmo em contextos dessa natureza, confere ao indivíduo maior capacidade de refletir sobre si próprio e sobre os demais objetos que lhe cercam, para, então, optar por cursos de ação mais condizentes com suas reais aspirações e ambições, sejam elas quais forem.

Mas, para tanto, as ações de desenvolvimento pessoal e profissional precisam ser sistematicamente planejadas. E isso exige o domínio de uma série de procedimentos, métodos e técnicas que permitam com que o contexto de ensino-aprendizagem possa ser delineado não de forma hermética, mas a partir das necessidades e perfis do público-alvo. Portanto, por mais que os processos de planejamento possuam qualidade didático-pedagógica, de nada valerão os esforços caso os objetivos dos indivíduos, das equipes e das organizações não tiverem sido alinhados por meio de avaliações de necessidades de TD&E.

O cerne de qualquer processo de planejamento de ações de treinamento é o próprio indivíduo, este compreendido como alguém que, consciente ou não de suas ambições e aspirações, responde a determinada realidade a partir da execução de mecanismos de processamento de informação que permitem que essa realidade seja apreendida e significada. Caso esse processo individual, em todas as suas fases, tenha sido negligenciado durante a etapa de planejamento de ações educacionais, a aprendizagem será comprometida.

Aprendizagem não somente em termos de aquisição e retenção de dados, informações e conhecimentos, mas, principalmente, da aplicação destes na resolução de questões relativas ao desempenho no trabalho. Mas é preciso atenção: ainda que a aprendizagem humana seja o foco de qualquer processo de planejamento instrucional, jamais o indivíduo pode ser completamente responsabilizado pelos resultados observados. Os indivíduos aprenderão sim, mas desde que suas necessidades e características próprias sejam levadas em consideração, bem como seja organizado de forma favorável o contexto da instrução e de trabalho desses indivíduos.

Negligenciar tais aspectos é reforçar a crença errônea de que os indivíduos são totalmente responsáveis pelos resultados de suas ações e, consequentemente, enraizar a suposição de que as ações de treinamento consistem apenas em mecanismos teórica e metodologicamente mais sofisticados de adestramento dos recursos humanos de uma organização.

REFERÊNCIAS

Abbad, G., Zerbini, T., Carvalho, R.S., & Meneses, P.P.M. (2006). Planejamento instrucional em TD&E. In J.E. Borges-Andrade, G. Abbad, & L. Mourão (Orgs.), *Treinamento, desenvolvimento e educação em organiza-*

ções e trabalho: fundamentos para a gestão de pessoas (pp. 289-321). Porto Alegre: Artmed.

Bloom, B.S., Krathwohl, D.R., & Masia, B.B. (1972) *Taxonomia de objetivos educacionais: compêndio primeiro: domínio cognitivo*. Porto Alegre: Globo.

Gagné, R.M. (1985). *The conditions of learning and theory for instruction* (4th ed.). New York: Rinehart and Wiston.

Gagné, R.M. (1988). *Essentials for learning for instruction* (2nd ed.). Englewood Cliffs: Prentice Hall.

Mayer, R.E. (1992). A capacidade para a matemática. In R. Sternberg (Org.), *As capacidades intelectuais humanas: uma abordagem em processamento de informações* (pp. 144-168). Porto Alegre: Artmed.

Morrinson, G.R., Ross, S.M., & Kemp, J.E. (2001). *Designing effective instruction*. Hoboken: John Wiley & Sons.

Reigeluth, C.H. (1999). *Instructional design theories and models: a new paradigm of instructional theory* (Vol. 2). London: LEA.

Rodrigues Jr., J.F. (1997). *A taxonomia de objetivos educacionais: um manual para o usuário* (2. ed.). Brasília: Universidade de Brasília.

Exemplo de planejamento de ação de treinamento

O exemplo que se segue pretende elucidar o produto de um processo de planejamento instrucional. Trata-se de um caso desenvolvido pelos autores a partir de um dos exemplos de necessidades prioritárias apresentados no capítulo denominado de "Exemplo de Avaliação de Necessidades de TD&E. A presente seção, portanto, apresenta uma proposta de curso para uma daquelas necessidades identificadas. O texto que se segue assume formato de um programa instrucional, como aqueles geralmente distribuídos nos primeiros dias de cursos em organizações de diversos setores e naturezas.

APRESENTAÇÃO

A prioridade que será contemplada no exemplo de um planejamento instrucional consiste na necessidade número 19 – "Elaborar instrumentos de pesquisa de avaliação de efeitos de ações educacionais segundo modelos propostos por Hamblin e Borges-Andrade" –, a qual apresentou um índice de prioridade de 15 pontos. No exemplo demonstrado, consta que tal necessidade é considerada uma habilidade de mediana complexidade, pertencente à segunda posição no rol dos índices de treinamento gerados, e que representa uma atividade intelectual necessária à manutenção do processo de avaliação de efeitos de ações educacionais. A solução sugerida foi um treinamento presencial.

Antes de apresentar o exemplo de um programa instrucional, são expostos, na Figura 3.1.1, os produtos das etapas do processo de planejamento de ações de TD&E abordadas ao longo do Capítulo 3: definição de objetivos instrucionais; seleção da modalidade de entrega; análise, classificação e ordenação de objetivos instrucionais; seleção ou desenvolvimento de estratégias e meios instrucionais; e definição de critérios de aprendizagem.

Como observado, a ação educacional será ofertada para 30 colaboradores que atuam na área de TD&E e que se encontram dispersos geograficamente na organização. A maioria desses colaboradores prefere estudar em grupo, pela manhã, no trabalho e realizar a leitura dos materiais disponibilizados em formato impresso. Além disso, a maioria já participou de um curso a distância, ainda que não por intermédio da Empresa X, e domina o uso de ferramentas utilizadas comumente em cursos dessa natureza. A empresa em questão apresenta disponibilidade de recursos financeiros e mate-

Planejamento Instrucional			
Nome do Curso: Elaboração de instrumentos de avaliação de ações educacionais			
Modalidade de Ensino: Presencial			
Objetivo Geral: Elaborar instrumentos de avaliação de efeitos de ações educacionais ofertadas pela Empresa X a toda a cadeia de valor, segundo modelos propostos por Hamblin e Borges-Andrade.			
Domínio Predominante: Cognitivo			
Objetivos Específicos	Nível de Complexidade	Estratégias e Meios	Critérios de Aprendizagem
Definir a avaliação de treinamento, apontando seus principais objetivos e níveis de julgamento.	Conhecimento	Exposição oral e leitura de textos	Todos os objetivos e níveis
Identificar os componentes de avaliação do treinamento, com base no Modelo de Hamblin e no Modelo de Avaliação Integrada e Somativa (MAIS).	Conhecimento	Exposição oral e leitura de textos	Todos os componentes dos modelos
Analisar instrumentos de avaliação de ações de TD&E adotados pela Empresa X a partir do modelo de Hamblin e do MAIS	Análise	Exposição oral e leitura de textos	Todos os instrumentos adotados pela Empresa X
Definir os instrumentos de avaliação mais adequados ao sistema de TD&E da Empresa X.	Análise	Exposição oral e discussão em grupo	Compatíveis com a natureza e o nível de aprendizagem enfatizados nos tipos de ações de TD&E ofertados pela Empresa X

FIGURA 3.1.1 Modelo básico de planejamento da instrução.

Planejamento Instrucional			
Objetivos Específicos	Nível de Complexidade	Estratégias e Meios	Critérios de Aprendizagem
Sugerir alterações nos instrumentos de avaliação existentes, visando ao aprimoramento dos mesmos.	Análise	Oficina de trabalho	De acordo com princípios psicométricos de elaboração de itens de pesquisa
Construir novos instrumentos de avaliação de ações de TD&E específicos para as necessidades da Empresa X.	Síntese	Oficina de trabalho	Compatíveis com toda a gama de cursos ofertado pela Empresa X
Aplicar noções de técnicas psicométricas de construção de instrumentos de ações de TD&E.	Aplicação	Oficina de trabalho	Todas as regras psicométricas expostas no curso
Realizar análises semânticas e por juizes, identificando e corrigindo eventuais erros nos instrumentos construídos.	Análise	Oficina de trabalho	Conforme orientações psicométricas de coleta e análise de dados
Redigir relatórios técnicos sobre a construção de instrumentos contendo introdução teórica, objetivos, justificativas, metodologia, resultados e discussão.	Síntese	Oficina de trabalho	De acordo com as normas da Empresa X.

FIGURA 3.1.1 *Continuação.*

Planejamento Instrucional			
Perfil Médio dos Participantes			
Quantidade: 30 colaboradores que atuam na área de TD&E	Dispersos Geograficamente: (S) (N)		
Como gosta de estudar:	(sozinho)	(em dupla)	(em grupo)
Quando prefere estudar:	(manhã)	(tarde)	(noite)
Onde prefere estudar:	(casa)	(trabalho)	(outros locais)
Como gosta de ler os materiais:		(computador)	(papel)
Já fez curso a distância: (S) (N)	Pela Empresa X: (S) (N)		
Domina Office: (S) (N)	Domina ferramentas de EaD: (S) (N)		
Modalidade Sugerida: (X) presencial ( ) a distância ( ) híbrida			
Disponibilidade de recursos na empresa: Financeiros (S) ou (N) Material (S) ou (N) Tecnológica (S) ou (N)			

FIGURA 3.1.1 Modelo básico de planejamento da instrução *(Continuação)*.

riais; entretanto, não possui ainda um suporte tecnológico adequado para a oferta de cursos a distância. Em função de tais características, a empresa optou por oferecer um curso presencial aos colaboradores ao longo de uma semana. A seguir, apresenta-se um modelo de programa instrucional presencial, elaborado a partir dos aspectos abordados na Figura 3.1.1.

EMPRESA X
UNIDADE DE TREINAMENTO, DESENVOLVIMENTO E EDUCAÇÃO DE PESSOAS

Curso: Elaboração de instrumentos de avaliação de ações educacionais
Período: Maio de 2010
Carga Horária Total: 40 horas
Docente(s) Responsável(eis): Pedro Paulo Murce Meneses, Thaís Zerbini e Gardênia Abbad
Sala de aula: 12A
Horário: segunda a sexta-feira, das 8h às 12h e das 14h às 18h

Prezado participante:

Este é um curso baseado na participação ativa dos funcionários da Empresa X, de forma que sua presença é esperada em todas as aulas. O objetivo é complementar e aprofundar os conhecimentos adquiridos em ações educacionais, ofertadas anteriormente, relacionadas ao sistema de Treinamento, Desenvolvimento e Educação de Pessoas (TD&E).

A) EMENTA

Avaliação de ações educacionais. Instrumentos de medida.

B) CONTEXTO DO CURSO E OBJETIVO GERAL

O curso faz parte de um conjunto de ações educacionais ofertadas pela Empresa X, cuja meta principal consiste em articular o desempenho humano ao negócio da organização. Tem como propósito preparar o colaborador para os constantes processos de transformação ambiental que determinam a sobrevivência da organização em um mercado extremamente competitivo. A orientação é a de contribuir para o trabalho dos colaboradores da área de Gestão de Pessoas que atuam diretamente com ações de TD&E. A ênfase é fornecer conhecimentos para a construção de instrumentos de avaliação dos efeitos das ações de TD&E. Portanto, até o final do curso, espera-se que os participantes sejam capazes de elaborar instrumentos de avaliação de efeitos de ações educacionais ofertadas pela Empresa X a toda sua cadeia de valor, segundo modelos propostos por Hamblin e Borges-Andrade.

C) ORGANIZAÇÃO PROGRAMÁTICA DO CURSO

Para facilitar o alcance do objetivo geral, descrito no item anterior, o curso está organizado em duas unidades:

Unidade 1. Avaliação de ações educacionais: modelos e características.

Unidade 2. Instrumentos de avaliação: orientações de elaboração.

D) UNIDADES PROGRAMÁTICAS

Unidade 1 – Avaliação de ações educacionais: modelos e características

Objetivos: Ao final desta unidade, o participante deverá ser capaz de:

- Definir a avaliação de treinamento, apontando seus principais objetivos e níveis de julgamento.
- Identificar os componentes de avaliação do treinamento, com base no Modelo de Hamblin e no Modelo de Avaliação Integrado e Somativo – MAIS.

Conteúdo:

Definição, Objetivos e Pressupostos da Avaliação de Treinamento.

Níveis de Avaliação segundo Hamblin e o Modelo de Avaliação Integrada e Somativa – MAIS.

Referências da Unidade 1:

Texto 1:
Hamblin, A.C. (1978). *Avaliação e controle do treinamento*. São Paulo: McGraw-Hill.

Texto 2:
Borges-Andrade, J.E. (2006). Avaliação integrada e somativa em TD&E. In J.E. Borges-Andrade, G. Abbad, & L. Mourão (Orgs.), *Treinamento, desenvolvimento e educação em organizações e trabalho: fundamentos para a gestão de pessoas* (pp. 343-358). Porto Alegre: Artmed.

Unidade 2 – Instrumentos de avaliação: orientações de elaboração

Objetivos: Ao final desta unidade, o participante deverá ser capaz de:

- Analisar instrumentos de avaliação de ações de TD&E existentes, descrevendo suas partes componentes e suas relações com os objetivos do sistema de avaliação da Empresa X.
- Definir os instrumentos de avaliação mais adequados ao sistema de TD&E da Empresa X.
- Sugerir alterações nos instrumentos de avaliação existentes, visando ao aprimoramento dos mesmos.
- Construir novos instrumentos de avaliação de ações de TD&E específicos para as necessidades da Empresa X.
- Aplicar noções de técnicas psicométricas de construção de instrumentos de ações de TD&E.
- Realizar análises semânticas e por juizes, identificando e corrigindo eventuais erros nos instrumentos construídos.
- Redigir relatórios técnicos sobre a construção de instrumentos contendo introdução teórica, objetivos, justificativas, metodologia, resultados e discussão.

Conteúdo:
Instrumentos de avaliação de ações de TD&E.
Critérios psicométricos.
Análises semânticas e por juizes.
Elaboração de relatórios.

Referências da Unidade 2:
Texto 3:
Pilati, R., & Borges-Andrade, J.E. (2006). Construção de medidas e delineamentos em avaliação de TD&E. In J.E. Borges-Andrade, G. Abbad, & L. Mourão (Orgs.), *Treinamento, desenvolvimento e educação em organizações e trabalho: fundamentos para a gestão de pessoas* (pp. 359-384). Porto Alegre: Artmed.
Texto 4:
Pasquali, L. (1998). Princípios de elaboração de escalas psicológicas. *Revista de Psiquiatria Clínica, 25*, 206-213.

E) ATIVIDADES DE ENSINO-APRENDIZAGEM

As seguintes estratégias de treinamento serão utilizadas:

- Aulas expositivas serão desenvolvidas para apresentar as informações essenciais necessárias para aquisição da cada objetivo e para esboçar um quadro das referências que auxiliem os participantes a sistematizar essas informações. Portanto, *não são suficientes para a aprendizagem*.
- Espera-se sempre que os participantes façam as leituras *antes* de assistirem às aulas expositivas para que as discussões sejam mais produtivas.
- Oficinas de trabalho: serão realizadas atividades em grupo com o objetivo de simular a construção de instrumentos de avaliação de ações de TD&E. Os grupos deverão preparar uma breve proposta sobre o sistema de avaliação de TD&E que deveria ser implementado na Empresa X. As oficinas serão seguidas de uma discussão em conjunto com o instrutor e demais participantes, de modo a levar o grupo a compartilhar os conhecimentos gerados.

F) AVALIAÇÃO DOS PARTICIPANTES NO CURSO

Os participantes poderão receber até 10 pontos, distribuídos nas seguintes atividades de avaliação:

- Oficinas de trabalho para construção de instrumentos de avaliação de ações de TD&E – 7 pontos.
- Apresentação em *Power Point* das propostas – 3 pontos.

OBS:

- O cronograma poderá ser revisto, caso haja necessidade de alterar datas de atividades.

G) REFERÊNCIAS COMPLEMENTARES

Abbad, G. (1999). *Um modelo integrado de avaliação do impacto do treinamento no trabalho – IMPACT*. Tese de doutorado não publicada, Instituto de Psicologia, Universidade de Brasília, Brasília.

Abbad, G., Pilati, R., & Borges-Andrade, J. E. (1999). Percepção de suporte organizacional: desenvolvimento e validação de um questionário. *Revista de Administração Contemporânea, 3*(2), 29-51.

Abbad, G., & Sallorenzo, L.H. (2001). Desenvolvimento e validação de escalas de suporte à transferência. *Revista de Administração, 36*(2), 33-45.

Baldwin, T.T., & Ford, J.K. (1988). Transfer of training: a review and directions for future research. *Personnel Psychology, 41*(1), 63-105.

Carvalho, R.S., & Abbad, G.S. (2006). Avaliação de treinamento a distância: reação, suporte à transferência e impactos no trabalho. *Revista de Administração Contemporânea, 10*(1), 95-116.

Carvalho, R.S., Zerbini, T., & Abbad, G. (2005). Competências empreendedoras de pequenos empresários: construção e validação de uma escala. In E.C.L. Souza & T.A. Guimarães. (Orgs.), *Empreendedorismo além do plano de negócio* (pp. 217-240). São Paulo: Atlas.

Cheung, D. (1998). Developing a student evaluation instrument for distance teaching. *Distance Education, 19*(1), 23-34.

Cheung, D. (2000). Evidence of a single second-order factor in student ratings of teaching effectiveness. *Structural Equation Modeling, 7*(3), 442-460.

Kirkpatrick, D.L. (1976). Evaluation of training. In R.L. Craig (Org.), *Training and development handbook* (pp. 18.1-18.27). New York: McGraw-Hill.

Pasquali, L. (1998). Princípios de elaboração de escalas psicológicas. *Revista de Psiquiatria Clínica, 25*, 206-213.

Zerbini, T. (2007). *Avaliação da transferência de treinamento em curso a distância*. Tese de doutorado não publicada, Instituto de Psicologia, Universidade de Brasília, Brasília.

Zerbini, T., & Abbad, G. (2008). Estratégias de aprendizagem em curso a distância: validação de uma escala. *Psico-USF, 13*(2).

Zerbini, T., & Abbad, G. (2008). Qualificação profissional: ambiente de estudo e procedimentos de interação: validação de uma escala. *Análise, 19*(1), 148-172.

Zerbini, T., & Abbad, G. (2008). Reação aos procedimentos instrucionais de um curso via *internet*: validação de uma escala. *Revista Estudos de Psicologia (Campinas), 26*(3), 363-371.

H) CRONOGRAMA DO CURSO

Encontros	Datas	Período	Unidades e Conteúdo	Atividades	Leitura
1	10/05	8h - 12h	Apresentação dos alunos e professores. Levantamento de expectativas quanto ao curso. Apresentação do plano de ensino: objetivos, conteúdos, metodologia e avaliação. Unidade 1 - Definição, objetivos e pressupostos da avaliação de treinamento.	Aula expositiva e discussão	Plano de Ensino e Texto 1
		14h-18h	Unidade 1 - Níveis de Avaliação de Hamblin: reação, aprendizagem, comportamento no cargo e resultados.		Texto 1
2	11/05	8h - 12h	Unidade 1 - Modelo de Avaliação Integrado e Somativo (MAIS)	Aula expositiva e discussão	Texto 2
		14h-18h	Unidade 2 - Instrumentos de avaliação de ações de TD&E. Critérios psicométricos.	Aula expositiva e discussão	Texto 3
3	12/05	8h - 12h	Unidade 2 - Instrumentos de avaliação de ações de TD&E. Critérios psicométricos.	Oficina de trabalho de cons-construção de instrumentos de ações de TD&E	Texto 3
		14h-18h			Texto 4
4	13/05	8h - 12h	Unidade 2 - Análises semânticas e por juizes. Elaboração de relatórios.	Oficina de trabalho	Texto 4
		14h-18h			
5	14/05	8h - 12h	Unidade 2 - Análises semânticas e por juizes. Elaboração de relatórios.	Oficina de trabalho	Texto 4
		14h-18h		Apresentação das propostas	

Avaliação de efeitos de treinamento, desenvolvimento e educação de pessoas 4

> **Objetivos**
>
> Ao final deste capítulo, o leitor deverá ser capaz de:
> - Definir avaliação de treinamento, apontando seus principais objetivos e níveis de julgamento.
> - Identificar os componentes de avaliação do Modelo de Avaliação Integrado e Somativo e IMPACT.
> - Selecionar conjuntos de níveis, medidas e variáveis pertinentes à avaliação de ações educacionais a distância e presencial.
> - Definir instrumento de avaliação de sistemas instrucionais (treinamentos presenciais e a distância).
> - Estabelecer procedimentos de coleta, análise e devolução de dados de avaliações de reação, aprendizagem e impacto do treinamento no trabalho.
> - Analisar resultados de avaliações de ações de TD&E nos níveis de reação, aprendizagem e impacto do treinamento no trabalho.

INTRODUÇÃO

Como discutido nos capítulos anteriores, o atendimento às novas configurações do mercado de trabalho exige que as organizações desenvolvam estratégias de atualização contínua de suas capacidades organizacionais e individuais. Nesse sentido, passam a desenvolver e oferecer programas de educação corporativa, formação e qualificação profissional. Muitas empresas, porém, como discutido no Capítulo 2, ainda se utilizam de treinamentos inadequados para a sua realidade, devido à ausência de avaliações sistemáticas e criteriosas de necessidades. Acabam, quando possível, concentrando esforços na etapa de planejamento discutida no Capítulo 3. Mas sem garantias de que o treinamento se vincula aos objetivos individuais, de grupos e organizacionais, por mais bem sistematizada que tenha sido a ação educacional, são poucas as chances de que ela resulte em melhores taxas de desempenho.

> Para *garantir a efetividade de ações educacionais*, tornam-se fundamentais iniciativas de *avaliação de sistemas instrucionais*, principalmente nos casos em que os subsistemas anteriores foram mal projetados ou implantados de modo deficitário.

Segundo Goldstein (1991), a avaliação de treinamento pode ser definida como um processo sistemático de coleta de informações que irá proporcionar a revisão e o aprimoramento de eventos instrucionais por meio de decisões referentes à seleção, adoção, valorização e modificação dos aspectos instrucionais existentes. Portanto, os principais objetivos da avaliação de treinamento são: obter controle sobre o processo, retroalimentar o sistema, tomar decisões sobre o treinamento e torná-lo capaz de provocar modificações em seu ambiente.

Para tanto, diversos modelos encontram-se disponíveis na literatura nacional e estrangeira. Ao passo que os modelos tradicionais e mais bem aceitos pelo mundo corporativo incluem em seus componentes apenas variáveis de resultados de treinamento, os mais contemporâneos e reconhecidos pela ciência do treinamento mesclam resultados de treinamento com variáveis dos ambiente e relacionadas às características da clientela, por exemplo. O Quadro 4.1 apresenta exemplos de modelos mais tradicionais de avaliação.

Kirkpatrick (1976) propôs pioneiramente um modelo estruturado em quatro níveis de avaliação: reação, aprendizagem, comportamento e resultados. Os demais consistem em desdobramentos ou novas interpretações dos níveis propostos pelo autor mencionado. Apesar de este autor ter sugerido que os níveis de avaliação são sequenciais, lineares e fortemente correlacionados entre si, diversas pesquisas mostraram que, na verdade, a relação hierárquica e positiva entre os níveis de avaliação é questionável. Aliiger e Janak (1989) analisaram diversos estudos e chegaram à conclusão de que não havia comprovação da relação de causalidade entre os níveis, tais como proposto.

QUADRO 4.1	Modelos Orientados para Resultados de TD&E		
Kirkpatrick (1976)	**Hamblin (1978)**	**Kenney e Reid (1986)**	**Philips (1997)**
Reações	Reações	Reações	Reações
Aprendizagem	Aprendizagem	Aprendizagem	Aprendizagem
Comportamento	Comportamento	Mudança de comportamento no trabalho	Aplicação e implementação
Resultados	Organização	Efeitos nos departamentos	Impacto no negócio
	Valor-final	Efeitos na organização	Retorno sobre investimento

Goldstein (1991) e Tannenbaum e Yukl (1992) criticam os modelos clássicos e concluem que a aprendizagem é condição necessária, embora não suficiente, à transferência, para o trabalho, de conhecimentos ou habilidades adquiridas em treinamentos. Abbad, Gama e Borges-Andrade (2000) analisaram a relação existente entre os níveis reação, aprendizagem e impacto do treinamento no trabalho (comportamento no cargo) e também não confirmaram os pressupostos de Kirkpatrick (1976).

> *Aprendizagem é condição necessária, embora não suficiente, à transferência, para o trabalho, de conhecimentos ou habilidades adquiridos em treinamentos.*

Nesse contexto, emergem outros modelos de avaliação, agora também concentrados em variáveis até então desconsideradas pelos anteriormente propostos. Tais modelos (Quadro 4.2) foram concebidos justamente em face do principal objetivo de uma avaliação, que é gerar informações que permitam retroalimentar os atores envolvidos e o programa, sua concepção, implantação e até mesmo seus mecanismos de avaliação. Apenas constatar que certos resultados foram ou não alcançados torna-se insuficiente ante os fins de um processo avaliativo.

Entre esses modelos mais integrativos, destaca-se na literatura nacional aquele proposto por Borges-Andrade (1982, 2006), denominado de

QUADRO 4.2	Modelos Orientados para Resultados, Insumos e Ambiente de TD&E	
CIRO (Warr, Bird e Rackham, 1970)	CIPP (Stufflebeam, 1978)	MAIS (Borges-Andrade, 1982)
Contexto	Contexto	Ambiente: ■ Necessidades de treinamento ■ Apoio ■ Disseminação
Insumo	Insumo	Ambiente: ■ Insumo
Reações	Processo	Processo Procedimento
Resultado	Produto	Resultado Ambiente: ■ Resultado a longo prazo

Modelo de Avaliação Integrada e Somativa (MAIS). Esse modelo, adotado para os fins do presente capítulo, é formado por cinco componentes, conforme pode ser visualizado na Figura 4.1: insumos, procedimentos, processos, resultados e ambiente.

O componente Insumo refere-se aos fatores físicos e sociais e aos estados comportamentais e cognitivos, anteriores à instrução, que podem influenciar os seus resultados (p. ex., variáveis motivacionais, sociodemográficas, psicossociais e cognitivo-comportamentais). Procedimentos são as operações necessárias para facilitar ou produzir os resultados instrucionais, tais como a sequenciação de objetivos, a seleção dos meios e das estratégias instrucionais e o desenvolvimento de exercícios. Processo refere-se aos resultados intermediários ou efeitos parciais do treinamento ocorridos no comportamento dos treinandos, à medida que os procedimentos são executados durante o treinamento. Resultados são os efeitos do treinamento nos desempenhos finais exibidos pelos treinandos logo após a conclusão da ação educacional. O ambiente representa o contexto em que se insere a ação de TD&E e divide-se em quatro dimensões:

- Necessidades: refere-se aos motivos que justificam a participação dos funcionários em determinada ação educacional.

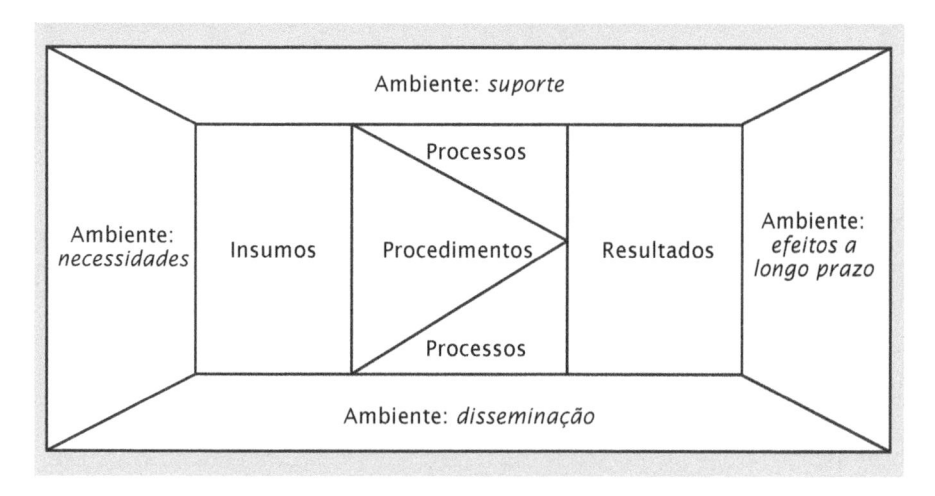

FIGURA 4.1 Modelo de Avaliação Integrada e Somativa – MAIS.
Fonte: Borges-Andrade (1982, 2006).

- Disseminação: diz respeito às informações disponíveis na organização sobre o treinamento, como programa, material, divulgação etc.
- Suporte: concerne aos recursos humanos, materiais, financeiros, psicossociais, etc, presentes no lar, na comunidade e na própria organização, que facilitam ou dificultam a concepção e a implantação de ações de treinamento, bem como à testagem do relacionamento entre elas.
- Efeitos a longo prazo: referem-se às consequências ambientais das ações educacionais nos comportamentos e nos resultados individuais, grupais e organizacionais.

O MAIS, aplicado em ambientes organizacionais para aprimoramento dos sistemas instrucionais, também foi utilizado para orientar pesquisas científicas no Brasil. Abbad (1999), a partir de extensa revisão da literatura científica sobre TD&E e da análise de cerca de 10 modelos integrados de avaliação de sistemas instrucionais, nacionais e estrangeiros, deu início ao trabalho de construção e validação de medidas de avaliação de treinamento relacionadas a cada componente do Modelo MAIS, como descrito em seguida, bem como à testagem do relacionamento entre elas.

- Insumos: informações demográficas, funcionais, motivacionais e atitudinais relativas aos participantes dos treinamentos estudados.
- Ambiente/Apoio:
  - Suporte organizacional: práticas organizacionais de gestão de desempenho, de valorização do servidor e de apoio gerencial ao treinamento.
  - Suporte à transferência: apoio recebido para aplicar, no trabalho, as novas habilidades aprendidas em treinamento.
- Ambiente/ Resultados em longo prazo: efeitos produzidos pelo treinamento em seus níveis de desempenho, motivação, autoconfiança e abertura a mudanças nos processos de trabalho.
- Procedimentos: variáveis relacionadas ao curso, tais como duração e natureza do objetivo principal do curso, além de medidas de satisfação com a programação das atividades, ao apoio ao desenvolvimento do curso, à aplicabilidade e à utilidade das ações educacionais, aos resultados, às expectativas de suporte organizacional e ao desempenho do instrutor.

Quanto aos modelos de avaliação de treinamentos a distância, em análise da produção nacional e estrangeira no período entre 1990 e 2006, poucos relatos de pesquisas empíricas ou testes de modelos foram localizados nas áreas da Psicologia Instrucional e da Psicologia Organizacional. Em comparação com outras áreas de estudo, há poucas pesquisas que identificaram variáveis explicativas dos efeitos de treinamentos a distância mediante análise do relacionamento entre variáveis, entre eles: Abbad, Carvalho e Zerbini (2006), Borges-Ferreira (2004), Brauer (2005), Carvalho e Abbad (2006), Coelho Jr. (2004), De Paula e Silva (2004), Jegede (1999), Vargas (2004), Warr e Bunce (1995), Zerbini e Abbad (2005).

Entre esses, merece destaque o estudo realizado por Carvalho (2003) e Zerbini (2007), que, ao identificarem as lacunas na área de avaliação de treinamentos a distância, propuseram um modelo reduzido de avaliação. Além disso, as autoras construíram e validaram estatisticamente 10 instrumentos de avaliação, como descrito em seguida, bem como testaram as relações entre as medidas elaboradas:

- Insumos:
  - Dados demográficos: perfil fisionômico, perfil profissional e funcional do participante.
  - Uso de ferramentas da *web*: frequência de utilização espontânea das ferramentas *chats*, listas de discussão e ambiente eletrônico do curso (*website* e *webpages*) durante toda a instrução.
  - Estratégias de aprendizagem: capacidades cognitivas, habilidades comportamentais e autorregulatórias utilizadas pelo aprendiz para controlar os próprios processos psicológicos de aprendizagem, como atenção, aquisição, memorização e transferência.
  - Hábitos de estudos: procedimentos de integração de aspectos contextuais e maneiras de estudo usados com a intenção de aprimorar a aquisição e a retenção de conteúdos.
  - Estilos de aprendizagem: preferências sobre aspectos contextuais e maneiras de se estudar.

- Procedimentos:
  - Procedimentos instrucionais: satisfação dos participantes com características instrucionais do curso tais como: qualidade dos objetivos de ensino, conteúdos, sequência, avaliações de aprendizagem, estratégias e meios, assim como a qualidade das ferramentas da *web* (*links*, FAQ, Mural, *chats*).
  - Desempenho do tutor: percepção do treinando sobre a qualidade da interação do tutor com os alunos, domínio do conteúdo e uso de estratégias de ensino.

- Ambiente/Apoio:
  - Interface Gráfica: satisfação do treinando quanto à ergonomia do *software* e quanto à navegabilidade e usabilidade do ambiente na internet.
  - Ambiente de Estudo e Procedimentos de Interação: aspectos do contexto pessoal de estudo do aluno e do próprio curso que podem dificultar a permanência do aluno no curso.
  - Falta de suporte à transferência: no caso dos estudos das autoras, que avaliaram um curso destinado a empreendedores, esta medida avalia a opinião dos participantes acerca do nível com que variáveis do contexto familiar, social e/ou governamental podem prejudicar o negócio ou a aplicação das habilidades aprendidas no curso específico avaliado.
  - Resultados: alcance dos objetivos instrucionais do curso, bem como percepção sobre a capacidade de transmitir os conhecimentos adquiridos a outras pessoas, aplicar o aprendido em diferentes situações e trabalhar em conjunto com outros profissionais.
- Ambiente/Resultados a Longo Prazo: aplicação, no contexto de trabalho do participante, dos CHAs aprendidos no curso e efeitos dessa aplicação nos desempenhos individuais.

Todas as variáveis mencionadas anteriormente, representações operacionais dos componentes de avaliação propostos por Borges-Andrade (1982, 2006), foram e continuam sendo testadas por pesquisadores nacionais e estrangeiros, de forma que podem ser úteis no delineamento de processos mais sistemáticos de avaliação de efeitos de TD&E. Para que sejam bem selecionadas para o uso profissional, antes de qualquer coisa é preciso refletir sobre o propósito da avaliação, que consiste na retroalimentação dos participantes, do programa e dos subsistemas de treinamento, inclusive da própria etapa avaliativa.

> ■ De nada vale fazer *uso de centenas de itens de pesquisa* se a área não possui *capacidade técnica e política* para transformar os resultados de avaliação em *propostas de melhorias* para os indivíduos, equipes e organização.

Na seção seguinte são apresentadas orientações para modelagem de um sistema de avaliação de efeitos de TD&E. Em seguida, um exemplo de relatório executivo de avaliação é exposto. Antes disso, vale mencionar que todas as variáveis destacadas nos modelos de investigação comentados foram cientificamente relacionadas, na melhor das hipóteses, a resultados de treinamentos no nível individual de análise. A área ainda carece de melhores prescrições teóricas e metodológicas capazes de orientar profissionais e estudiosos a realizar avaliação de efeitos mais abrangentes sobre os resultados exigidos de equipes de trabalho e das organizações. De qualquer forma, exemplos de pesquisas dessa natureza já vêm sendo produzidos por estudiosos e pesquisadores nacionais, entre os quais merecem destaque os trabalhos conduzidos por Borges-Andrade, Pereira, Puente-Palacios e Morandini (2002), Freitas e Borges-Andrade (2004), Mourão (2004) e Meneses (2007).

MODELAGEM DE SISTEMAS DE AVALIAÇÃO DE TREINAMENTO

As recomendações propostas a seguir podem ser utilizadas para elaborar um sistema de avaliação de ações educacionais e também para adaptar modelos de avaliação já existentes nas organizações e em ambientes de trabalhos diversos. Para tanto, é necessário que os responsáveis pelo projeto, ao refletirem sobre a construção e a aplicação de instrumentos de avaliação, considerem as características da organização, bem como das áreas, das unidades ou dos departamentos que a compõem. Para facilitar o processo de elaboração do modelo de avaliação de ações educacionais, é recomendável seguir as etapas descritas no Quadro 4.3.

QUADRO 4.3	Passos para elaborar um sistema de avaliação de ações educacionais
Etapas	Orientações
1	A partir da ação educacional selecionada, determinar os resultados de avaliação a serem contemplados, bem como as demais variáveis a serem pesquisadas (explicativas desses resultados).
2	Selecionar ou definir indicadores de avaliação.
3	Definir os procedimentos de coleta de dados: fonte, meios e instrumentos (escolher e/ou construir medidas e instrumentos de avaliação de ações educacionais).
4	Definir os procedimentos de análise de dados.
5	Definir os procedimentos de devolutiva dos resultados.

Etapa 1. Determinação dos níveis de avaliação e demais variáveis

Como discutido no Capítulo 3, as ações educacionais podem ser classificadas quanto à natureza dos desempenhos a serem desenvolvidos, de forma que podem assumir caráter eminentemente cognitivo, afetivo ou psicomotor. Nesses domínios de aprendizagem, os princípios de complexidade, internalização e automatização, respectivamente, permitem com que os resultados de desempenho sejam adequadamente ordenados, a fim de que trilhas de aprendizagem que estimulem a aquisição, retenção e transferência do aprendido possam ser sistematicamente produzidas. Nesse sentido, a primeira etapa da modelagem de sistemas de avaliação consiste na identificação dos níveis de avaliação pertinentes ante a natureza e a especificidade da aprendizagem previstas nas ações educacionais.

Em ações educacionais de natureza cognitiva que avancem apenas nos dois primeiros tipos de resultados (conhecimento e compreensão), por não exigirem que os dados, as informações e os conteúdos acessados sejam aplicados na resolução de problemas de trabalho, não devem ser sucedidas por avaliações de comportamento no cargo ou de resultados. Como o foco concentra-se apenas na manipulação de dados e informações, os níveis de avaliação mais recomendados são os de reação e de aprendizagem. A partir do nível de aplicação até o de avaliação, todos os níveis de avaliação (reação até resultados) podem ser usados.

No caso de avaliações de cursos de natureza psicomotora e afetiva, o mesmo raciocínio pode ser empregado. Em ambos os casos, os dois primeiros níveis de aprendizagem (psicomotora: percepção e posicionamento/ afetivo: receptividade e resposta), uma vez que não culminam com a expressão dos desempenhos que frequentemente justificam a execução de ações de TD&E (nessas situações direcionadas ou para a execução de movimentos complexos ou para a expressão de comportamentos), as avaliações não devem avançar além do nível da aprendizagem. A partir dos níveis subsequentes, em ambos os domínios, avaliações além da aprendizagem fazem sentido.

Mas uma questão deve ser discutida. Avaliações de comportamentos em cursos de natureza afetiva devem ser usadas apenas quando imprescindíveis, e, mesmo nesses casos, não da forma como se avalia a aprendizagem em cursos psicomotores e cognitivos. A razão é simples: avaliar aprendizagem de comportamentos que consistem na expressão de complexos sistemas de valores, crenças, cognições etc., durante o evento instrucional, como se faz em outros cursos, não garante conclusões válidas sobre os objetos observados. Avaliar esse tipo de aprendizagem fora de sala de aula também seria muito oneroso para a equipe de recursos humanos, que necessitaria contar com ampla equipe de observadores ou de especialistas em técnicas de entrevista ou testagem psicológica, visto os produtos de tais ações comportamentais não serem tão concretos como nos outros casos. Isso sem mencionar a dificuldade de se estabelecer critérios precisos de avaliação de aprendizagem, que, neste caso, deveriam permitir ao avaliador determinar até que ponto os valores imaginados pela organização foram introjetados pelos treinandos.

Para exemplificar, suponha que determinado curso tenha como objetivo fazer com que as pessoas usem certo equipamento de segurança. Para tanto, as pessoas teriam de desenvolver atitudes favoráveis em relação ao uso dos equipamentos. Avaliar se essas atitudes, em sala de aula, foram desenvolvidas pelos treinandos não é oportuno, ainda que o aspecto cognitivo na formação das atitudes possa sim ser avaliada, por meio da projeção de mapas mentais, em sala de aula. Mais fácil seria avaliar as tendências pós-treinamento dos índices de acidente de trabalho (medidas de resultado organizacional), compará-las com medidas anteriores ao curso e, enfim, concluir pela aprendizagem (internalização de valores) e mudança de desempenho individual (comportamento no cargo).

Dito isso, é preciso lembrar que o parâmetro para decisão dos níveis de avaliação a serem utilizados podem ser deduzidos dos próprios objetivos gerais e específicos do curso, mas desde que bem elaborados, conforme prescrições apresentadas no Capítulo 3. Além disso, considerando que a literatura científica atestou que os níveis de reação, aprendizagem e comportamento no cargo não se correlacionam positivamente, talvez interesse à área explicar os motivos que levaram à emergência dos efeitos identificados. Neste caso, variáveis de insumo e ambiente podem também ser utilizadas. O Quadro 4.4 apresenta um roteiro exemplificado para facilitar o delineamento de uma sistemática de avaliação de ações de TD&E.

QUADRO 4.4	Informações necessárias à elaboração de um sistema de avaliação de ações educacionais	
Aspectos	Perguntas	Respostas
Ação Educacional Selecionada	Qual a ação de TD&E a ser avaliada?	Gestão do desempenho humano e organizacional.
Unidade/Clientela	Quem é cliente principal da avaliação? Para quem os resultados deverão ser retornados?	45 funcionários lotados na área de recursos humanos.
Natureza do Curso	Qual a natureza principal dos objetivos do curso?	Cognitivo

QUADRO 4.4	(Continuação)	
Aspectos	Perguntas	Respostas
Níveis de Aprendizagem dos Objetivos	Até que nível esses objetivos avançam?	Conhecimento Compreensão Aplicação Análise
Níveis de Avaliação Contemplados	A partir da natureza e dos resultados de aprendizagem pretendidos, quais níveis de avaliação devem ser avaliados?	Reação Aprendizagem Comportamento no Cargo
Dimensões de Avaliação	Em cada um dos níveis de avaliação, o que se pretende avaliar?	Reação: Reação ao desempenho didático, programação e aplicabilidade do curso Aprendizagem: Aquisição de conhecimentos e desenvolvimento de habilidades Comportamento no cargo: Impacto do treinamento no desempenho do indivíduo treinado. Ambiente/Suporte: condições psicossociais que estimulam ou restringem o desempenho individual pós-treinamento

Etapa 2. Definição de indicadores, meios e fontes de avaliação

Determinadas as dimensões de avaliação, inicia-se a etapa de seleção ou refinamento dos indicadores. Já foi mencionado neste capítulo que diversos instrumentos de pesquisa, sobre níveis (Hamblin) e componentes (MAIS) de avaliação, encontram-se disponíveis na literatura científica de TD&E, sob a forma de artigos, dissertações e teses. Assim, a primeira alternativa sugerida consiste na utilização de tais instrumentos. Mas lembre-se: ainda que os questionários relacionados no Quadro 4.5 estejam disponíveis para consumo público, eles devem ser devidamente referidos quando usados, tanto em âmbito acadêmico como profissional. Para tanto, procure deixar o mais claro possível nos documentos gerados a partir do uso desses instrumentos os nomes dos responsáveis pela sua elaboração e validação.

Se porventura os questionários ou os itens que compõem cada um deles não forem pertinentes à realidade organizacional e dos treinamentos sob estudo, então novos instrumentos de pesquisa deverão ser elaborados. Neste sentido, é importante mencionar que outras formas de levan-

QUADRO 4.5	Instrumentos de medidas de avaliação de TD&E disponíveis	
Componente	**Instrumento**	**Autoria**
Ambiente: Apoio	Suporte à transferência	Abbad (1999)
		Abbad e Sallorenzo (2001)
	Suporte organizacional	Abbad (1999)
		Abbad, Pilati e Borges-Andrade (1999)
	Suporte à aprendizagem	Coelho Junior (2004)
	Falta de suporte à transferência – cursos a distância	Zerbini, Varanda e Abbad (submetido)
	Ambiente de estudo e procedimentos de interação	Zerbini e Abbad (2008a)
Ambiente: Disseminação	Disseminação	Meira (2004)
Ambiente: Resultados a Longo Prazo	Impacto no trabalho em amplitude	Abbad (1999)
	Impacto no trabalho em amplitude – Capacidades empreendedoras	Carvalho, Zerbini e Abbad (2005)
Ambiente: Insumos	Autoeficácia	Meneses (2002)
	Lócus de Controle	Meneses (2002)
	Motivação para aprender	Lacerda (2002)
	Motivação para transferir	Lacerda (2002)
	Valor instrumental do treinamento	Lacerda (2002)
	Estratégias para aplicação	Pilati e Borges-Andrade (2005)
	Estratégias de aprendizagem – cursos a distância	Zerbini e Abbad (2008b)
	Hábitos de Estudo	Zerbini (2003)
Procedimentos	Reação ao desempenho didático	Abbad (1999)
	Reação à programação	Abbad (1999)
	Reação ao desempenho de tutores	Zerbini e Abbad (2009a)
	Reação aos procedimentos instrucionais – cursos a distância	Zerbini e Abbad (2009b)
	Reação à interface gráfica	Varanda, Zerbini e Abbad (no prelo)
	Roteiro de análise do material didático – cursos a distância	Carvalho (2003)
		Zerbini (2003)
Resultados	Reação à aprendizagem	Abbad (1999)
	Reação à aplicabilidade	Abbad (1999)
	Reação aos resultados e aplicabilidade de cursos a distância	Carvalho (2003)

tamento de dados, além dos tradicionais questionários, podem ser desenvolvidas.

> Ainda que o *uso de questionários geralmente seja preferido* a outros meios de coleta, autores como Pilati e Borges-Andrade (2006) têm defendido o *uso de múltiplos procedimentos de coleta de dados*, como entrevistas, análise documental, observação e questionários. Os autores ressaltam que o ideal é tentar usar o máximo de alternativas.

Apesar das recomendações pertinentes no âmbito de estudos acadêmicos, situações profissionais, nas quais os recursos humanos, materiais e financeiros são escassos, podem tornar essas alternativas impraticáveis. Por exemplo, o uso de observações para avaliação do desempenho didático dos professores ou da interação destes com os alunos pode ser oneroso à medida que, para que os resultados possam ser considerados fidedignos, exige presença do avaliador durante todo o curso.

No caso das entrevistas, apesar de o processo de definição das questões ser relativamente mais simples se comparado à estruturação de assertivas em um questionário, os processos de análise de dados, e consequentemente de devolução desses para os participantes da avaliação, podem tornar-se excessivamente morosos. É importante enfatizar aqui que os dados de avaliação de efeitos de treinamento, e principalmente aqueles sobre as variáveis que julgamos explicar esses efeitos (p. ex., características individuais), devem ser retornados, em situações profissionais, de forma agregada, a fim de que o indivíduo não possa se identificar nos produtos gerados pela área de avaliação.

Por tal motivo, as respostas às questões da entrevistas não podem ser simplesmente transpostas, na íntegra, para os relatórios de *feedback*. Precisam, antes, ser processadas por meio de análises específicas, como as de conteúdo. E isso, mais uma vez, pode tornar o processo oneroso demais para a área. De qualquer forma, é importante mencionar que existem *softwares* especializados em análises de conteúdo que talvez possam reduzir esse tempo de processamento de informações.

Sobre as análises documentais, essas geralmente tendem a sofrer dos mesmos problemas discutidos no caso das entrevistas. Na literatura de TD&E, por exemplo, existe um instrumento de pesquisa, desenvolvido por um grupo de pesquisa coordenado por Gardênia Abbad, da Universidade de Brasília, que consiste em um roteiro de análise do material didático de treinamentos organizacionais. Trata-se de um instrumento que deve ser preenchido por especialistas da área de TD&E da empresa a partir da análise de todo o material produzido (programas e planos de aula, *slides*, exercícios, referências etc.). É um excelente instrumento, mas exige muita dedicação e capacidade técnica do avaliador para que julgamentos ágeis, precisos e confiáveis sejam emitidos.

Assim, a fim de tornar mais eficiente a gestão do processo de TD&E nas organizações, recomenda-se o uso preferencial de questionários de pesquisa. Apesar do maior esforço necessário à sua estruturação, após desenvolvidos e validados, permitem que as decisões sobre as ações educacionais, principalmente em termos da retroalimentação dos demais subsistemas e para os participantes envolvidos no processo de avaliação (alunos, professores etc.) fluam mais rapidamente.

Nesse sentido, será enfatizado neste capítulo o processo de elaboração de perguntas fechadas de pesquisa (itens de questionário). Antes disso, entretanto, é importante expor algumas recomendações úteis para a elaboração de instrumentos de medida os mais adequados possíveis à realidade observada. As orientações a seguir, referentes a critérios psicométricos para elaboração de itens, foram sugeridas por Pasquali (1998).

a) Critério comportamental: expressar um comportamento concreto.
   1. Errado: "*Conhecer* sobre determinado assunto".
   2. Certo: "*Explicar* determinado assunto em uma situação X."

b) Critério da simplicidade: expressar uma única ideia.

   1. Errado: "O treinamento alcançou os objetivos propostos *devido* ao desempenho do instrutor e ao apoio fornecido pela equipe de RH".
   2. Certo: "O desempenho didático do instrutor foi satisfatório".

c) Critério da clareza: o item deve ser compreendido pelos participantes.

   1. Errado: "Não tenho tido muito tempo de aplicar o que aprendi no treinamento no trabalho".
   2. Certo: "Tenho tempo para aplicar no trabalho o que aprendi no treinamento".

d) Critério da relevância: cada item deve ser consistente com aquilo que se pretende medir.
   Exemplo: Considere a relevância dos itens relacionados em seguida em relação à dimensão suporte material à transferência.

   1. Pertinente: "Minha organização dispõe dos equipamentos necessários ao uso das novas habilidades".
   2. Pouco pertinente: "Meus colegas de trabalho apoiam o uso de habilidades recém-adquiridas".
   3. Impertinente: "Tenho utilizado, no trabalho, as habilidades adquiridas no treinamento".

e) Critério da precisão: os itens devem ser distintos entre si. Não elabore itens semelhantes com variações apenas linguísticas.
f) Critério da variedade: diversifique a linguagem dos itens. O uso dos mesmos termos em todos os itens dificulta a diferenciação, além de provocar monotonia, cansaço e aborrecimento.
g) Critério da modalidade: elabore frases com expressões modais, não utilizando, portanto, expressões extremadas, como demasiadamente, muitíssimo, infinitamente etc.
h) Critério da tipicidade: elabore frases que possam ser adequadamente avaliadas a partir da escala de julgamento determinada. Exemplo: "O instrutor procurou esclarecer as dúvidas dos treinandos". Escala:

1. Errado: 1-péssimo a 5-ótimo
2. Certo: 1-discordo totalmente a 5-concordo totalmente

i) Critério da credibilidade: formule itens de modo que não sejam considerados ridículos, despropositados ou infantis pelos participantes.
j) Critério da amplitude do conjunto de itens: o conjunto de itens referentes ao mesmo critério de avaliação deve cobrir toda a extensão deste. Mas atente que, no caso de avaliações para fins profissionais, os itens devem ser elaborados levando em consideração sua relevância no que se refere à tomada de decisões que visem à melhoria dos programas instrucionais. Não infle os questionários com itens sobre os quais a área de TD&E não possui autonomia para reverter uma possível situação problemática.

Apesar de os itens serem o cerne de um instrumento de pesquisa, outras duas informações devem ser integradas ao formulário final: (a) instruções de preenchimento: descreva o objetivo da avaliação e elabore os procedimentos de preenchimento do instrumento; e (b) escalas de mensuração: defina a escala associada às questões propostas. O Quadro 4.6 apresenta, sinteticamente, as recomendações técnicas para desenvolvimento e formatação de questionários.

Elaborados os questionários ou selecionados os instrumentos de interesse, é preciso, ainda, definir quem participará das pesquisas de avaliação. Em termos profissionais, geralmente os treinandos constituem o único grupo de respondentes dessas pesquisas. Entretanto, outros diversos profissionais poderão participar da avaliação, como professores, tutores, instrutores, coordenadores de curso, chefes, colegas e pares de trabalho dos participantes, funcionários da área de treinamento etc. A seleção dessas fontes depende, principalmente, da natureza da medida em jogo.

QUADRO 4.6	Recomendações para elaboração de proposta de avaliação de ações educacionais

Definição do construto: trata-se do conceito que embasa a definição da medida de avaliação a ser aplicada ao curso. Os itens devem contemplar as dimensões ou facetas estabelecidas na definição.

Ex: Reação ao desempenho do instrutor: refere-se à qualidade do desempenho didático e do relacionamento do instrutor ou professor com seus alunos, bem como o grau de domínio do conteúdo que ele demonstra em sala de aula (Componente MAIS: Procedimento = Nível de Reação/ Indicador: Desempenho do instrutor).

Escala de avaliação: mensura o nível de desempenho ou o grau com que um certo atributo está presente no comportamento de outra pessoa (heteroavaliação), no comportamento do próprio avaliador (autoavaliação) e no ambiente (avaliação ecológica). A escala pode ser numérica ou não e deve ser escolhida de acordo com a natureza do atributo ou construto avaliado. Uma escala dicotômica (do tipo sim ou não) é muito utilizada em roteiros de observação ou de análise documental e listas de verificação. Escalas do tipo *Likert* de 5 ou mais pontos são muito comuns em avaliações de reações, impacto e suporte. Essas escalas geralmente mensuram frequência (nunca a sempre), intensidade (nada a muito), qualidade (péssimo a ótimo) ou concordância (discordo totalmente a concordo totalmente).

Frequência:

0	1	2	3	4
Nunca	Raramente	Às vezes	Frequentemente	Sempre

Concordância:

0	1	2	3	4
Discordo totalmente	Discordo um pouco	Não concordo, Nem discordo	Concordo um pouco	Concordo totalmente

Instruções: o questionário, o roteiro ou a lista de verificação devem ser apresentados aos avaliadores com orientações padronizadas de aplicação para diminuir a ocorrência de vieses na utilização dos instrumentos. Devem constar no questionário instruções claras e bastante precisas sobre como o respondente deverá emitir e registrar seus julgamentos a partir da escala.

Exemplo de instruções: Este questionário tem o objetivo de colher informações acerca de diferentes aspectos do treinamento que acaba de ser ministrado, visando ao contínuo aperfeiçoamento dos treinamentos oferecidos por esta organização. Procure responder da forma mais precisa possível às questões que se seguem. Desde já agradecemos a sua colaboração. Ao lado de cada indicador há uma escala com cinco conceitos de julgamento (Péssimo, Ruim, Regular, Bom e Muito Bom). Leia cada indicador cuidadosamente, escolha o ponto da escala que melhor descreve a sua opinião acerca do módulo e assinale com um "X" dentro do espaço correspondente ao seu julgamento.

(Continua)

QUADRO 4.6	*(Continuação)*

Tópicos Ordenados para Formatação do Questionário:
Nome do questionário
Nome do curso
Período de realização
Dados sociodemográficos (quando pertinente)
Orientações sobre a pesquisa e como respondê-la
Escala de avaliação (reapresentar a cada página nova)
Itens e espaços para respostas
Mensagem de agradecimento

Coordenadores de curso, por exemplo, podem ser usados como fonte alternativa de avaliação de medidas de utilidade e dificuldade dos conteúdos de determinado curso. Chefes, colegas e pares de trabalho podem ser fontes interessantes de avaliação do desempenho individual pós-treinamento dos treinandos e mesmo de medidas de suporte à transferência. Outras inúmeras combinações podem ser desenvolvidas. Entretanto, para que tal procedimento seja eficientemente implantado, duas condições precisam ser consideradas: (a) quanto maior a diversidade de fontes de avaliação, tanto mais oneroso se tornará o processo de gestão da avaliação; e (b) fontes alternativas de avaliação, para que seus julgamentos possam ser considerados válidos, devem ter conhecimento pleno do objeto focalizado.

Apesar de geralmente os indivíduos serem considerados as principais fontes de avaliação de ações de TD&E, devido à preferência pela utilização de questionários auto-aplicáveis, em alguns casos, outras possibilidades emergem. Medidas de aprendizagem podem ser coletadas por meio de indicadores duros constituídos pelos próprios escores obtidos pelos alunos nos testes intermediários e finais aplicados pelos instrutores ou equipe de planejadores instrucionais (p. ex., notas nos exercícios e nas provas de fim de curso). Mas vale perguntar se as atitudes dos funcionários da organização em relação ao uso de avaliações tradicionais de aprendizagem favorecerão manifestações confiáveis de dados.

Considerando os princípios da liberdade e da autonomia defendidos por estudiosos da área da educação, *sistemas de avaliação formais de aprendizagem podem ser vistos como estratégias de controle e coerção*. Além disso, é fundamental que sejam analisadas as propostas avaliativas nesses casos em relação aos níveis de aprendizagem objetivados nos cursos. *Medidas mal-delineadas tendem a gerar sensação de injustiça nos alunos*. Atenção é essencial, principalmente nos casos em que a construção das medidas é de responsabilidade de conteudistas, mas não de especialistas em planejamento instrucional.

Em relação aos indicadores concretos de desempenho individual, de equipes e organizacional, outras dificuldades se impõem. A primeira delas decorre das dificuldades de se associar precisamente tais indicadores a objetivos individuais de treinamento, associação que deve ser tratada no processo de avaliação de necessidades, como discutido no Capítulo 2. Mas mesmo nos casos em que tais associações tenham sido previamente definidas, outro complicador pode emergir: é preciso que os dados estejam disponíveis na organização. Nem sempre as organizações contam com sistemas de monitoramento de indicadores de desempenho que vão além da perspectiva financeira.

Cumpridos todos os passos aqui recomendados, resta organizar a informação para que se tenha uma noção mais ampla do sistema em construção. O Quadro 4.7 exemplifica decisões sobre instrumentos, indicadores, fontes e meios de avaliação para uma ação de treinamento qualquer e pode ser usado como organizador avançado nesse processo de modelagem de sistemas de avaliação de ações de TD&E.

QUADRO 4.7	Exemplo de decisão sobre indicadores, fontes e meios de avaliação			
Níveis de Avaliação Contemplados	Dimensões de Avaliação	Instrumentos/ Indicadores	Fontes	Meios
Reação	Reação ao desempenho didático, programação e aplicabilidade do curso	Abbad (1999): Desempenho didático programação e aplicabilidade	Treinandos	Questionários
Aprendizagem	Aquisição de conhecimentos e desenvolvimento de habilidades	Notas nos exercícios e nos testes finais de aprendizagem e autorrelatos	Documentos formais e treinandos	Pautas da turma
Comportamento no Cargo	Impacto do treinamento e suporte à transferência	Abbad (1999): Impacto e suporte	Treinandos e pares de trabalho	Questionários

Etapa 3. Definição de procedimentos de coleta e de análise de dados

Nesta etapa, decidido sobre as medidas de avaliação a serem utilizadas nos cursos ofertados pela organização, torna-se necessário proceder à definição de procedimentos de coleta e de análise de dados. No primeiro caso, devem ser determinadas estratégias de aplicação dos instrumentos de pesquisa. No segundo, é preciso decidir sobre o emprego de análises quantitativas e qualitativas, a depender dos instrumentos estabelecidos.

Quanto à coleta de dados, algumas regras precisam ser observadas. Avaliações de reação, por objetivarem a reunião de impressões dos treinandos acerca de aspectos do curso, devem ser coletadas logo ao final do curso, antes que os alunos retornem definitivamente para seus postos de trabalho. Se aplicadas após retornarem para o trabalho, os julgamentos poderão ser contaminados por diversos aspectos externos ao curso, e mesmo devido ao esquecimento. Para evitar a perda de respondentes, recomenda-se a aplicação presencial e coletiva para treinamentos presenciais, e virtual e individualizada para treinamentos a distância. Em ambos os casos, a aplicação de reação jamais pode ser atribuída ao professor, instrutor ou tutor, pois estes geralmente fazem parte de alguma dimensão avaliada nos questionários (p. ex., desempenho didático).

Medidas de aprendizagem, por outro lado, podem ser coletadas tanto ao final do curso, como no início e durante as ações de treinamento. Se a área de gestão de pessoas realiza sistematicamente avaliações de necessidades para justificar a participação dos indivíduos nos cursos, então talvez seja mais adequado aplicar apenas pós-testes de aprendizagem. Mas se a área não tiver ciência alguma do domínio prévio dos conteúdos do curso, neste caso pré-testes deverão também ser usados, para que seja possível estimar precisamente as alterações promovidas pelo treinamento.

Medidas de autorrelatos de aprendizagem, geralmente por integrarem os mesmos questionários utilizados na avaliação de reações, não podem ser aplicadas pelos professores ou por quaisquer outras pessoas cujos papéis desempenhados consistam tópico de julgamento. Medidas concretas de aprendizagem, estas sim podem ser aplicadas pelos instrutores em treinamentos presenciais, como também por qualquer outro indivíduo. Mas para isso as medidas devem ter sido elaboradas adequadamente, a fim de não possibilitarem a emergência de dúvidas quanto aos comandos apresentados aos alunos. Em treinamentos a distância, os próprios ambientes virtuais de aprendizagem, desde que projetados nesse sentido, permitem um gerenciamento mais eficiente de ambos os tipos de medidas.

A mesma lógica se aplica às avaliações de comportamento no cargo. A diferença é que tais medidas devem ser coletadas em um determinado período de tempo após a finalização dos cursos. Para determinação do momento de aplicação ou de coleta dessas medidas, é preciso observar os níveis de resultado de aprendizagem desenvolvidos em cada ação educacional, bem como o ciclo das atividades desempenhadas pelos funcionários. Os relatos de pesquisa de TD&E indicam que essas medidas costumam ser aplicadas entre duas semanas e quatro meses após o término dos cursos, por malote, *e-mail* ou por meio de *links* disponibilizados na *internet*, na *intranet* ou em ambientes virtuais de aprendizagem. A responsabilidade destas aplicações geralmente é da equipe de recursos humanos.

Sobre as medidas de resultados, como mencionado, são poucos os estudos científicos capazes de orientar a aplicação de procedimentos de coleta de dados. Mas é possível afirmar que geralmente a coleta de tais medidas envolve o uso de consultas a bancos de dados sobre indicadores de desempenho organizacional em diversas perspectivas. O Quadro 4.8 apresenta uma síntese dos procedimentos de coleta mais recomendados na área de avaliação de TD&E, exceto no caso do nível de resultados, para o qual ainda não existem orientações mais pontuais.

Entre as análises quantitativas de dados, geralmente utilizadas no meio profissional de TD&E quando da aplicação de questionários com questões

QUADRO 4.8	Síntese dos procedimentos de coleta de dados		
Níveis/Componentes	Quando?	Como?	Quem?
Reação	Último dia de curso	Cursos presenciais: papel e lápis, presencial e coletivamente. Cursos a distância: instrumentos disponibilizados na *web* para cada treinando.	Equipe de recursos humanos responsável pelas ações de TD&E na organização.
Aprendizagem	Primeiro dia, durante e no último dia de curso	Cursos Presenciais: papel e lápis, presencial e coletivamente. Cursos a distância: exercícios e testes disponibilizados na *web* para cada treinando.	Professores, instrutores, tutores ou equipe de recursos humanos responsável pelas ações de TD&E na organização.
Comportamento no Cargo	Entre 2 semanas e 4 meses após encerramento do curso Entre 2 semanas e 4 meses após o curso	Malotes, *e-mails* e *links* postados no ambiente virtual de curso, na intranet ou internet.	Equipe de recursos humanos responsável pelas ações de TD&E na organização.

fechadas, tem-se o uso de medidas de tendência central (médias, medianas e modas) e de dispersão (desvio-padrão e amplitude das respostas), além das contagens de frequência de respostas a cada um dos itens, em termos absolutos ou relativos (percentuais). Segundo Pilati e Borges-Andrade (2006), é imprescindível o uso combinado de medidas de tendência central e de dispersão.

Ao analisar uma média, por exemplo, é importante verificar o valor do desvio-padrão. Caso elevado (valores superiores a 1,0 exigem atenção), a média deixará de representar bem a opinião de todos os respondentes, justamente pela ampla variação das respostas ao longo da escala de avaliação. Em situações como essa, medianas e modas, ou mesmo frequências permitem melhor compreensão dos dados. Por esse motivo, é interessante, em um relatório de avaliação, apresentar diversas estatísticas sob a forma de tabelas e gráficos para que a compreensão das informações seja inequívoca, clara e direta.

Se determinada área de TD&E estiver interessada em investigar os motivos dos efeitos constatados, então outras opções estatísticas terão de ser usadas. Suponha que se deseje conhecer em que medida as taxas de satisfação dos funcionários com a organização se relacionam com os resultados de treinamentos em termos de aprendizagem. Comparar índices de estatísticas descritivas, por meio de inspeção visual, pode não permitir boa compreensão do fenômeno de interesse, principalmente porque tende a ser elevado o número de medidas utilizadas. Neste caso, análises estatísticas bivariadas ou multivariadas podem ser de grande valia para a área. Diversos manuais sobre técnicas desta natureza encontram-se disponíveis na literatura.

Quanto às análises qualitativas, frequentemente, quando utilizadas, a área de TD&E recorre a análises de conteúdo. Essa análise exige que o avaliador, após coletar e organizar os dados a serem analisados, identifique padrões de respostas a partir de categorias de análise definidas previamente ou somente após primeira rodada de análises. A prática profissional tem demonstrado que os resultados de análises deste tipo geralmente vão ao encontro daqueles obtidos com o cálculo de estatísticas, mas apenas quando os questionários de pesquisa cobrem suficientemente a dimensão de avaliação de interesse. De qualquer forma, não se pode descartar o emprego de técnicas qualitativas de coleta e de análise de dados, principalmente quando a sistemática de avaliação encontra-se em construção na organização.

Retomando o exemplo desenvolvido neste capítulo, o Quadro 4.9 ilustra as decisões sobre os procedimentos de coleta e de análise de dados tomadas em relação ao curso de gestão do desempenho humano e organizacional exemplificado. Para maiores informações, consulte Pilati e Borges--Andrade (2006).

QUADRO 4.9	Exemplo de decisão sobre indicadores, fontes e meios de avaliação			
Níveis de Avaliação Contemplados	Dimensões de Avaliação	Quando?	Como?	Quem?
Reação	Reação ao desempenho didático, programação e aplicabilidade do curso	Último dia de curso, antes da aplicação das medidas de aprendizagem	Questionários impressos aplicados presencial e coletivamente na própria sala do treinamento	Equipe de treinamento da empresa, com professor fora da sala no momento da aplicação.
Aprendizagem	Aquisição de conhecimentos e desenvolvimento de habilidades	Primeiro e último dia de cursos e notas nos exercícios	Testes impressos aplicados presencial e coletivamente (medidas idênticas) e exercícios avaliados pelo professor	Professor do curso ou equipe de treinamento da empresa
Comportamento no Cargo	Impacto do treinamento e do suporte à transferência	Dois meses após o término do curso	Questionários digitalizados postados na *intranet* da empresa; aviso no último dia de curso e lembrete distribuído por correio eletrônico	Equipe de treinamento da empresa.

Etapa 4. Retroalimentação

Por fim, é preciso definir os procedimentos de devolutiva a serem utilizados na avaliação. Apesar de todas as etapas serem importantes do ponto de vista do gerenciamento do processo de avaliação de TD&E, esta última pode ser considerada a mais relevante de todas. Um dos graves problemas na área de avaliação de ações educacionais é o famoso "engavetamento" de avaliações realizadas. A partir do momento em que os dados são coletados, cria-se uma expectativa nos respondentes da avaliação e, em função disso, os resultados precisam ser devolvidos. Desta maneira, evita-se o descrédito das ações da área de recursos humanos por parte dos colaboradores da instituição.

É a partir desta etapa que todos os subsistemas são ajustados a fim de que as ações educacionais possam tornar-se cada vez mais efetivas. Para tanto, os resultados da avaliação, além de servirem de material para consumo interno da área, devem ser retornados para todos os participantes do processo de treinamento (desde os responsáveis pela avaliação de necessidades até o público-alvo do curso) na forma de relatórios padronizados. Assim, determine para quem os dados precisam ser devolvidos (colaboradores, gestores, diretores, a própria área de recursos humanos), de que forma serão apresentados (reunião formal, jornais informativos, portal *web* etc.), e, principalmente, quais as decisões a serem tomadas após a devolução dos resultados (aperfeiçoamento dos cursos avaliados, mudanças nos procedimentos adotados etc.).

Nesta seção, portanto, o texto é dividido segundo os fins pretendidos em uma avaliação, da simples devolução dos resultados para os atores envolvidos até o aperfeiçoamento do próprio sistema de TD&E. Ante a necessidade de tornar efetiva a etapa de devolução dos dados para os envolvidos no processo avaliativo, recomenda-se a adoção de um modelo padrão de relatório, composto pelos seguintes itens que devem ser desenvolvidos para cada curso ou conjunto de ações.

- Sumário Executivo
  - Sintetiza as informações contidas em todo o relatório, enfatizando os principais resultados obtidos e as sugestões de aprimoramento elaboradas.
- Apresentação
  - Descreve o objetivo principal do relatório executivo e, principalmente, as características do programa de TD&E avaliado, tais como:
    Nome
    Período e carga horária total e diária
    Objetivos gerais e específicos (e conteúdos)
    Modalidade
    Meios, estratégias e procedimentos
    Instrutoria
- Procedimentos de Avaliação
  - População e Amostra: descrição do número total de participantes, bem como detalhamento quantitativo e qualitativo dos respondentes da pesquisa de avaliação.
  - Instrumentos de Medida: caracterização dos instrumentos utilizados (aspectos mensurados, quantidades de itens por aspectos, escalas de avaliação utilizadas etc.).
  - Procedimentos de Coleta e de Análise de Dados: descrição das estratégias de aplicação dos instrumentos (presencial, digital, individual, coletiva etc.) e de análise de dados (estatísticas descritivas, inferenciais etc.).

- Resultados: apresentação dos resultados sob forma de tabelas, quadros, gráficos e figuras, seguida de descrições técnicas e interpretações subsequentes.
- Sugestões de Aprimoramento
    - Para elaboração das sugestões de aprimoramento, torna-se fundamental, neste ponto, compreender como os resultados de avaliação nos diversos níveis se associam com cada uma das atividades previstas nos subsistemas de avaliação de necessidades e de planejamento, bem como a determinados procedimentos empregados na própria avaliação de efeitos.

Em relação à retroalimentação do subsistema de avaliação de necessidades educacionais, conforme elucidado no Quadro 4.10, é possível que todos os níveis de avaliação forneçam informações extremamente valiosas para o

QUADRO 4.10 Sugestões de retroalimentação para avaliação de necessidades

Níveis	Análise organizacional	Análise de tarefas	Análise individual
Reação	–	Reações negativas à aplicabilidade sugerem atenção a atividades não relevantes para o desempenho.	Reações negativas à programação sugerem desatenção ao perfil da clientela.
Aprendizagem	–	Problemas de aprendizagem sugerem má definição de CHA.	Problemas de aprendizagem sugerem desatenção ao perfil da clientela.
Impacto	–	Baixo impacto sugere desenvolvimento de atividades não relevantes para o desempenho ou influência de variáveis não controladas.	Baixo impacto sugere desarticulação entre necessidades individuais e os objetivos do curso.
Resultados	Resultados insatisfatórios sugerem desarticulação do curso com o contexto organizacional ou influência de variáveis não controladas	–	–

processo de revisão e reestruturação das análises organizacional, de tarefas e individual previstas em tal subsistema. Algumas possibilidades são apresentadas em seguida, mas isso não impede que outras tantas sejam imaginadas.

Diferentemente da retroalimentação para o subsistema de avaliação de necessidades de TD&E, no caso do subsistema de planejamento, os níveis de avaliação de reação e aprendizagem são aqueles mais potencialmente capazes de fornecer indícios precisos sobre as necessidades de revisão do subsistema. Resultados aquém do esperado nas avaliações de impacto e de resultado, apesar de sugerirem problemas no planejamento de ações educacionais, não são capazes de gerar informações proximalmente associadas às atividades a serem revisadas.

No que concerne à utilização dos resultados das avaliações na retroalimentação do próprio subsistema de avaliação de ações de TD&E, é importante mencionar que os caminhos projetados no Quadro 4.12 são total-

QUADRO 4.11	Sugestões de retroalimentação para planejamento de TD&E	
Ajustes	Reação	Aprendizagem
Seleção da modalidade	Reações negativas à programação do curso sugerem seleção inadequada da modalidade.	Problemas de aprendizagem sugerem modalidades incompatíveis com o perfil da clientela.
Elaboração de objetivos	Reações negativas à programação do curso sugerem objetivos instrucionais mal formulados.	Problemas de aprendizagem sugerem objetivos instrucionais mal formulados.
Sequenciação dos objetivos	Reações negativas à programação do curso sugerem sequência inadequada de objetivos.	Problemas de aprendizagem sugerem sequência inadequada de objetivos.
Seleção de Meios e Estratégias	Reações negativas sugerem uso de meios e estratégias incompatíveis com o perfil da clientela.	Problemas de aprendizagem sugerem uso de meios e estratégias incompatíveis com perfil da clientela.
Definição de Critérios	Rações negativas à programação sugerem determinação de critérios aquém ou além dos níveis de proficiência alcançados com o curso.	Problemas de aprendizagem podem decorrer de critérios de aprendizagem mal definidos.

QUADRO 4.12	Sugestões de retroalimentação para a própria avaliação de efeitos				
Ajustes	Reação	Aprendizagem	Impacto	Resultados
Reação	Reações tendenciosas (benevolentes, severas etc.) podem sugerir problemas de medida e nas estratégias de coleta de dados.	–	–	–
Aprendizagem	Reações negativas podem indicar problemas de aprendizagem.	Problemas de aprendizagem podem sugerir ineficiência dos instrumentos utilizados e falta de suporte humano e material.	–	–
Impacto	Reaçõe negativas à utilidade e aplicabilidade do curso podem sugerir baixo impacto decorrente da realização do curso.	Problemas de aprendizagem, se associados à falta de condições adequadas, podem sugerir baixo impacto.	Baixo impacto pode sugerir problemas com as medidas, com o tempo de avaliação, com as estratégias de coleta de dados e com o suporte à transferência.	–
Resultados	Reações negativas à utilidade e aplicabilidade podem implicar menores chances de alteração de resultados organizacionais em decorrência do curso.	Problemas de aprendizagem, se associados à falta de condições adequadas, podem sugerir resultados insatisfatórios.	Baixo impacto pode sugerir, se associados à falta de condições adequadas, resultados insatisfatórios.	Resultados insatisfatórios podem sugerir inadequação dos indicadores e do desenho da avaliação.

mente hipotéticos, exceto pela relação entre os níveis de reação à aplicabilidade e à utilidade do curso e de impacto do treinamento no trabalho, já confirmada pela literatura especializada.

Apesar de o público leigo acreditar na relação de causalidade entre os níveis (reações positivas geram maiores taxas de aprendizado, que produzem maiores índices de impacto, que geram melhores resultados para a organização), muito pouco se sabe ainda sobre as relações entre os níveis de aprendizagem, impacto e resultados do treinamento. Para testagem de tais hipóteses, recomenda-se o uso de estatísticas bivariadas ou multivariadas e delineamentos de pesquisas de avaliação correlacionais de campo ou quase-experimentais.

Por fim, vale relembrar que todos os atores envolvidos no processo de avaliação (participantes, instrutores, coordenação, equipe de apoio, superiores, colegas, pares etc.), sob pena de a avaliação ser compreendida como estratégia de controle e coerção do desempenho humano no trabalho, devem ter acesso livre aos resultados de todas as avaliações das quais tenham participado. Neste sentido, é imprescindível que sejam elaborados relatórios executivos para cada um dos níveis de avaliação e entregues àqueles que tenham sido envolvidos em tal processo. Após este capítulo é apresentado um relatório de avaliação para ser utilizado como modelo no campo profissional de TD&E.

CONSIDERAÇÕES FINAIS

O objetivo deste capítulo consistiu na apresentação e discussão do subsistema de avaliação de ações educacionais presenciais a distância. Apesar do grande avanço teórico-metodológico observado na literatura especializada em TD&E, conforme apresentado por Abbad, Pilati e Pantoja (2003), há muito que fazer pelo avanço da área, principalmente no que diz respeito às ações educacionais ofertadas a distância. Investigar características específicas de tais ações pode auxiliar os profissionais de TD&E tanto na adoção de estratégias de avaliação adequadas como também nos processos de avaliação de necessidades e de planejamento instrucional.

Sabe-se que, para os indivíduos serem capazes de atender às novas exigências do mercado de trabalho, é preciso garantir a aquisição de novas capacidades continuamente. No entanto, Ruas (2005) ressalta que, atualmente, face à aceleração da concorrência, do trabalho informal e sazonal e da baixa previsibilidade dos negócios e serviços, não é mais suficiente que os indivíduos apenas adquiram tais capacidades. Eles precisam ainda ser capazes de mobilizá-las em resposta a determinada demanda organizacional.

Neste sentido, segundo Zerbini (2007), programas de TD&E, de formação e de qualificação profissional devem promover o desenvolvimento de capacidades que atendam às demandas decorrentes de diferentes ambientes de trabalho e oferecer, igualmente a todos os indivíduos, oportunidades de aprimoramento pessoal e profissional contínuo, conforme os quatro pilares da Unesco para a educação do século XXI: saber ser (desenvolvimento pessoal), saber fazer (competência produtiva), saber conhecer (competência cognitiva) e saber conviver (desenvolvimento social). Associado a essas demandas, emerge um dos grandes desafios do Brasil, que é construir um processo de desenvolvimento sustentável em resposta a fenômenos como a globalização, os avanços tecnológicos, a empregabilidade, o livre comércio, o aumento das exportações, entre outros.

Diante desse cenário, torna-se fundamental garantir a efetividade de ações educacionais, e é por esse motivo que os profissionais envolvidos nesse processo precisam estar bem capacitados para desenvolver e implementar sistemas de avaliação que forneçam respostas rápidas e fidedignas às organizações. Espera-se que o presente capítulo tenha contribuído para a formação dos profissionais envolvidos em processos de TD&E nas organizações e em ambientes de trabalho diversos.

REFERÊNCIAS

Abbad, G. (1999). *Um modelo integrado de avaliação do impacto do treinamento no trabalho – IMPACT*. Tese de doutorado não publicada, Instituto de Psicologia, Universidade de Brasília, Brasília.

Abbad, G., Carvalho, R.S., & Zerbini, T. (2006, julho/dezembro). Evasão em curso via internet: explorando variáveis explicativas. *RAE-eletrônica, 5*(2), art. 17.

Abbad, G., Gama, A.L.G., & Borges-Andrade, J.E. (2000). Treinamento: análise do relacionamento da avaliação nos níveis de reação, aprendizagem e impacto do treinamento no trabalho. *Revista de Administração Contemporânea - RAC, 4*(3), 25-45.

Abbad, G., Pilati, R., & Borges-Andrade, J.E. (1999). Percepção de suporte organizacional: desenvolvimento e validação de um questionário. *Revista de Administração Contemporânea, 3*(2), 29-51.

Abbad, G., & Sallorenzo, L.H. (2001). Desenvolvimento e validação de escalas de suporte à transferência. *Revista de Administração, 36*(2), 33-45.

Abbad, G., Pilati, R., & Pantoja, M.J. (2003). Avaliação de treinamento: análise da literatura e agenda de pesquisa. *Revista de Administração da USP, 38*(3), 205-218.

Alliger, G.M., & Janak, E.A. (1989). Kirkpatrick's levels of training criteria: thirty years later. *Personnel Psychology, 42*(2), 331-342.

Borges-Andrade, J.E. (1982). Avaliação somativa de sistemas instrucionais: integração de três propostas. *Tecnologia Educacional, 11*(46), 29-39.

Borges-Andrade, J.E. (2006). Avaliação integrada e somativa em TD&E. In J.E. Borges-Andrade, G. Abbad, & L. Mourão (Orgs.), *Treinamento, desenvolvimento e educação em organizações e trabalho: fundamentos para a gestão de pessoas* (pp. 343-358). Porto Alegre: Artmed.

Borges-Andrade, J.E., Pereira, M.H.G., Puente-Palacios, K., & Morandini, D.C. (2002). Impactos individual e organizacional de treinamento: uma análise com base num modelo de avaliação institucional e na teoria multinível. *Anais do ENANPAD, Salvador, 26.*

Borges-Ferreira, M.F. (2004). *Avaliação de reações e aprendizagem em disciplinas de curso técnico profissionalizante oferecidas a distância.* Dissertação de mestrado não publicada, Instituto de Psicologia, Universidade de Brasília, Brasília.

Brauer, S. (2005). *Avaliação de um curso a distância: valor instrumental do treinamento, barreiras pessoais à conclusão e evasão.* Dissertação de mestrado não publicada, Instituto de Psicologia, Universidade de Brasília, Brasília.

Carvalho, R.S. (2003). *Avaliação de treinamento a distância: reação, suporte à transferência e impacto do treinamento no trabalho.* Dissertação de mestrado não publicada, Instituto de Psicologia, Universidade de Brasília, Brasília.

Carvalho, R.S., & Abbad, G.S. (2006). Avaliação de treinamento a distância: reação, suporte à transferência e impactos no trabalho. *Revista de Administração Contemporânea, 10*(1), 95-116.

Carvalho, R.S., Zerbini, T., & Abbad, G. (2005). Competências empreendedoras de pequenos empresários: construção e validação de uma escala. In E.C.L. Souza & T.A. Guimarães (Orgs.), *Empreendedorismo além do plano de negócio* (pp. 217-240). São Paulo: Atlas.

Coelho Jr., F.A. (2004). *Avaliação de treinamento a distância: suporte à aprendizagem e impacto do treinamento no trabalho.* Dissertação de mestrado não publicada, Instituto de Psicologia, Universidade de Brasília, Brasília.

De Paula e Silva, A. (2004). *Avaliação de uma disciplina semipresencial de graduação ofertada por meio da internet pela Universidade de Brasília.* Dissertação de mestrado não publicada, Instituto de Psicologia, Universidade de Brasília, Brasília.

Freitas, I.A., & Borges-Andrade, J.E. (2004). Efeitos de treinamentos nos desempenhos individual e organizacional. *Revista de Administração de Empresas, 44*(3), 44–56.

Goldstein, I.L. (1991). Training in work organizations. In M.V. Dunnette & L.M. Hough (Eds.), *Handbook of industrial and organizational psychology* (pp. 507-619). Palo Alto, California: Consulting Psychology Press.

Hamblin, A.C. (1978). *Avaliação e controle do treinamento.* São Paulo: McGraw-Hill.

Jegede, O. (1999). Differences between low and high achieving distance learners in locus of control and metacognition. *Distance Education, 20*(2), 255-263.

Kenney, J., & Reid, M. (1986). *Training interventions.* London: IPM.

Kirkpatrick, D.L. (1976). Evaluation of training. In R.L. Craig (Org.), *Training and development handbook* (pp. 18.1-18.27). New York: McGraw-Hill.

Lacerda, E. (2002). *Avaliação de impacto do treinamento no trabalho: investigando variáveis motivacionais e organizacionais como suas preditoras.* Dissertação de mestrado não publicada, Instituto de Psicologia, Universidade de Brasília, Brasília.

Meira, M. (2004). *Disseminação de informações sobre treinamento: construção e validação de um instrumento de medida.* Dissertação de mestrado não publicada, Instituto de Psicologia, Universidade de Brasília, Brasília.

Meneses, P.P.M. (2002). *Auto-eficácia, locus e controle, suporte à transferência e impacto do treinamento no trabalho.* Dissertação de mestrado não publicada, Instituto de Psicologia, Universidade de Brasília, Brasília.

Meneses, P.P.M (2007). *Avaliação de um curso de desenvolvimento regional sustentável no nível de resultados: a contribuição dos modelos lógicos e do método quase-experimental.* Tese de doutorado não publicada, Instituto de Psicologia, Universidade de Brasília, Brasília.

Mourão, L. (2004). *Avaliação de programas públicos de treinamento: um estudo sobre o impacto no trabalho e na geração de emprego.* Tese de doutorado não publicada, Instituto de Psicologia, Universidade de Brasília, Brasília.

Pasquali, L. (1998). Princípios de elaboração de escalas psicológicas. *Revista de Psiquiatria Clínica, 25*, 206-213.

Phillips, J. (1997). *Return of investment in training and performance improvement programs.* Houston: Gulf.

Pilati, R. (2004). *Modelo de efetividade do treinamento no trabalho: aspectos dos treinandos e moderação do tipo de treinamento.* Tese de doutorado não publicada, Instituto de Psicologia, Universidade de Brasília, Brasília.

Pilati, R., & Borges-Andrade, J.E. (2005). Estratégias para aplicação no trabalho do aprendido em treinamento: proposição conceitual e desenvolvimento de uma medida psicologia. *Reflexão e Crítica, 18*(2), 207-214.

Pilati, R., & Borges-Andrade, J.E. (2006). Construção de medidas e delineamentos em avaliação de TD&E. In J.E. Borges-Andrade, G. Abbad, & L. Mourão (Orgs.), *Treinamento, desenvolvimento e educação em organizações e trabalho: fundamentos para a gestão de pessoas* (pp. 359-384). Porto Alegre: Artmed.

Ruas, R. (2005). Gestão por competências: uma contribuição à estratégia das organizações. In R. Ruas, C.S. Antonello, & L.H. Boff (Orgs.), *Os novos horizontes da gestão: aprendizagem organizacional e competências* (pp. 34-55). Porto Alegre: Bookman.

Stufflebeam, D. (1978). Alternativas em avaliação educacional: um guia de auto-ensino para educadores. In M. Scriven & D. Stufflebeam (Eds.), *Avaliação educacional (II): Perspectivas, procedimentos e alternativas*. Petrópolis: Vozes.

Tannenbaum, S.I., & Yukl, G. (1992). Training and development in work organizations. *Annual Review of Psychology, 43*, 399-441.

Varanda, R.S., Zerbini, T., & Abbad, G. (no prelo). Construção e validação da Escala de Reações à Interface Gráfica para cursos a distância. *Psicologia: Teoria e Pesquisa*.

Vargas, M.R.M. (2004). *Barreiras à implantação de programas de educação e treinamento a distância*. Tese de doutorado não publicada, Instituto de Psicologia, Universidade de Brasília, Brasília.

Warr, P., Bird, M., & Rackham, N. (1970). *Evaluation of management training* (6th ed). London: Gower.

Warr, P., & Bunce, D. (1995). Trainee characteristics and outcomes of open learning. *Personnel Psychology, 48*, 347-375.

Zerbini, T. (2003). *Estratégias de aprendizagem, reações de um curso via internet, reações ao tutor e impacto do treinamento no trabalho*. Dissertação de mestrado não publicada, Instituto de Psicologia, Universidade de Brasília, Brasília.

Zerbini, T. (2007). *Avaliação da transferência de treinamento de um curso a distância*. Tese de doutorado não publicada, Instituto de Psicologia, Universidade de Brasília, Brasília.

Zerbini, T., & Abbad, G. (2005). Impacto de treinamento no trabalho via internet. *RAE-eletrônica, 4*(2), art. 16.

Zerbini, T., & Abbad, G. (2008a). Qualificação profissional: ambiente de estudo e procedimentos de interação: validação de uma escala. *Análise, 19*(1), 148-172.

Zerbini, T., & Abbad, G. (2008b). Estratégias de aprendizagem em curso a distância: validação de uma escala. *Psico-USF, 13*(2), 177-187.

Zerbini, T., & Abbad, G. (2009a). Reação ao desempenho do tutor em um curso a distância: validação de uma escala. *Estudos e Pesquisas em Psicologia, 9*(2), 447-463.

Zerbini, T., & Abbad, G. (2009b, julho/setembro). Reação aos procedimentos instrucionais de um curso via internet: validação de uma escala. *Estudos de Psicologia (Campinas), 26*(3), 363-371.

Zerbini, T., Varanda, R.S., & Abbad, G. (submetido). Falta de suporte à transferência em curso a distância: validação de uma escala. *Cadernos de Psicologia Social e do Trabalho*.

Exemplo de avaliação de efeitos de treinamento

Apresentamos um exemplo de relatório de avaliação do curso de "Elaboração de instrumentos de avaliação de ações educacionais" desenvolvido anteriormente, no capítulo de Planejamento de TD&E. Trata-se, portanto, de um relatório executivo elaborado para fins de retroalimentação dos participantes envolvidos e dos próprios subsistemas de avaliação de necessidades e de planejamento instrucional.

INTRODUÇÃO

O presente relatório destaca importantes resultados da avaliação do curso "Elaboração de Instrumentos de Avaliação de Ações Educacionais", realizado por 30 profissionais da área de recursos humanos desta organização. Os resultados da avaliação de reação indicaram níveis altos de satisfação dos participantes em relação à organização do evento, à metodologia empregada, ao material didático e, principalmente, ao desempenho do instrutor. Atenção especial é necessária à qualidade conceitual e gramatical dos materiais didáticos e à relação entre conteúdos e carga horária determinada. Sobre esse último tópico – carga horária – destaque ainda maior se faz necessário, visto que relações inadequadas entre conteúdos e carga horária tendem a indicar falta de sistematicidade dos processos de avaliação de necessidades de treinamento. Quanto aos resultados da avaliação de impacto, os dados indicam que o curso exerceu efeito considerável sobre os desempenhos dos funcionários treinados. Ainda que a velocidade de execução das tarefas e o número de erros cometidos não tenham sido reduzidos, esse fato pode ser explicado em função da alta complexidade das habilidades desenvolvidas no curso. Nesse sentido, vale destacar que o curso, segundo relato dos participantes, é útil não somente para as atividades relacionadas às decisões sobre as estratégias de desenvolvimento de pessoas da empresa, mas, também, para todas as demais atividades da área de recursos humanos, à medida que exigem instrumentos precisos de avaliação.

APRESENTAÇÃO

Este relatório descreve os resultados da avaliação do curso "Elaboração de Instrumentos de Avaliação de Ações Educacionais", realizado presencialmente durante o mês de maio do ano de 2009 sob coordenação da Empresa X. O treinamento contabilizou 40 horas e foi ministrado pelos seguintes instrutores externos: Pedro Meneses, Thaís Zerbini e Gardênia Abbad.

O propósito principal do curso consistia em tornar os participantes capazes de elaborar instrumentos de avaliação de efeitos de ações educacionais ofertadas pela Empresa X a toda sua cadeia de valor. Para tanto, os objetivos específicos do curso foram desenvolvidos por meio de aulas expositivas, leituras de textos e oficinas de trabalho.

Como observado no planejamento do curso sob análise, os objetivos avançaram até o desenvolvimento de habilidades relacionadas à elaboração de novos produtos, no caso representado por instrumentos de pesquisa de avaliação de TD&E. Desta forma, como relacionado em seguida, a avaliação do curso foi estendida para além da tradicional medida de satisfação dos participantes com o curso. Neste caso, optou-se também pela realização de avaliação do impacto do curso no desempenho dos profissionais treinados.

- Avaliação de Reação
  - Satisfação com a programação e o apoio
  - Satisfação com o desempenho didático
  - Aplicabilidade dos conteúdos e resultados do curso
- Avaliação de Impacto
  - Efeitos do curso no desempenho global dos participantes

PROCEDIMENTOS DE AVALIAÇÃO

A população do estudo compreendeu 30 funcionários da área de recursos humanos lotados na sede da empresa, em Brasília (n=17), e em outras duas filiais localizadas nas cidades de São Paulo (n=8) e Rio de Janeiro (n=5). Do número total de participantes, as seguintes amostras e respectivas taxas de resposta, em cada um dos níveis de avaliação anteriormente relacionados, foram obtidas (Quadro 4.1.1).

Conforme especificações disponibilizadas, pode ser observado que, no caso da avaliação de reação, taxas representativas, em relação à população constituída pelos participantes, foram obtidas (Taxa Total = 96%). Merece destaque o fato de que dois participantes do curso, provenientes de Brasília, local de realização do evento, não compareceram ao último

QUADRO 4.1.1	Amostras e taxas de retorno obtidas na avaliação					
Participantes	N	Reação			Impacto	
		F	%		F	%
Brasília	17	15	88		12	71
São Paulo	8	8	100		5	63
Rio de Janeiro	5	5	100		3	60
Total	30	28	96		20	65

dia de curso, de forma que não participaram da avaliação de reação. No caso da avaliação de impacto, a taxa de devolução dos questionários foi menor do que aquela obtida para a avaliação de reação. O fato de o instrumento de impacto ter sido aplicado dias após o término do curso, por meio do correio eletrônico da empresa, pode explicar a diminuição considerável da taxa de retorno. De qualquer forma, mesmo assim, a taxa pode ser considerada representativa do total de participantes do curso realizado.

Quanto aos procedimentos operacionais de avaliação do curso de "Elaboração de instrumentos de avaliações de ações educacionais", o Quadro 4.1.2 apresenta as principais características dos questionários utilizados e das estratégias de coleta e de análise de dados empregadas. Ambos os instrumentos, de reação e de impacto do treinamento no trabalho, foram desenvolvidos a partir dos questionários elaborados e validados por Abbad (1999). No caso da aplicação neste curso, os itens foram associados a escalas de julgamento do tipo *Likert* de 11 pontos, ancoradas apenas nos valores extremos.

RESULTADOS

Nesta seção, são apresentados os resultados das avaliações de reação e de impacto do curso "Elaboração de instrumentos de avaliação de ações educacionais". Discute-se o valor das médias, desvios-padrão, modas, mínimo e máximo das respostas dos participantes às dimensões e aos itens avaliados. Os resultados são apresentados na seguinte ordem: 1) programação e apoio; 2) desempenho didático; 3) aplicabilidade e resultados; e 4) impacto do treinamento no trabalho. Vale relembrar que as respostas avaliadas estão associadas a uma escala de 11 pontos, a partir da qual se objetivou mensurar a satisfação dos participantes ao curso ministrado.

QUADRO 4.1.2 Instrumentos e procedimentos de coleta e de análise de dados			
Instrumentos	Seções do instrumento	Coleta de Dados	Análise de Dados
Reação do Aluno Impacto	■ Programação e o apoio: 8 itens ■ Desempenho didático: 11 itens ■ Aplicabilidade e resultados: 5 itens – Obs: Todos os 24 itens foram associados à escala de resposta de 0=péssimo até 10=ótimo ■ Comentários: pergunta aberta	■ Último dia ■ Presencial ■ Coletiva	Média, desvio-padrão, moda e frequência
	■ No desempenho Global: 12 itens – Obs: Todos os 12 itens foram associados à escala de resposta de 0=nunca até 10=sempre ■ Comentários: pergunta aberta	■ 30 dias após o final do curso ■ Correio eletrônico	Média, desvio-padrão, moda e frequência

Reação à programação e apoio

Observa-se na Tabela 4.1.1 que, de forma geral, os itens foram avaliados satisfatoriamente pelos 28 participantes desta pesquisa de avaliação. As médias das respostas dos participantes aos itens do instrumento variaram entre 8,50 e 9,50. Quanto aos desvios-padrão, nenhum item apresentou valor elevado, o que indica que os participantes concordam entre si quanto à avaliação desses aspectos. Comentários mais específicos são apresentados a seguir.

Os resultados indicam índices maiores de satisfação dos alunos com o curso nos itens: (1) "Objetivos claramente definidos"; (2) "Sequência lógica dos conteúdos apresentados"; e (3) "Conteúdos apresentados em relação aos objetivos do curso" (M=9,50; DP=0,55 para os três itens). Por outro lado, o item cuja medida obtida indica índice menor de satisfação dos alunos com o curso diz respeito ao item (4) "Distribuição da carga horária para o volume de conteúdos apresentados" (M=8,50; DP=1,05) e (7) "Qualidade e organização do material didático" (M=8,50; DP=1,64). É importante destacar os valores obtidos nesses itens. Apesar dos valores das médias terem sido mais baixos em relação aos outros itens, pode-se perceber que a moda (valor mais frequente) não fica abaixo de 8, um dos

TABELA 4.1.1 Reação à programação e ao apoio

Itens	Moda	Min.	Máx.	Média	Desvio--Padrão
1. Objetivos claramente definidos	9	9	10	9,50	0,55
2. Sequência lógica dos conteúdos apresentados	9	9	10	9,50	0,55
3. Conteúdos apresentados em relação aos objetivos do curso	9	9	10	9,50	0,55
5. Clareza da linguagem utilizada no material didático do curso	10	8	10	9,50	0,84
6. Atualização do material didático utilizado no curso	10	8	10	9,50	0,84
8. Qualidade das instalações	9	8	10	9,00	0,63
4. Distribuição da carga horária para o volume de conteúdos apresentados	8	7	10	8,50	1,05
7. Qualidade e organização do material didático	9	6	10	8,50	1,64

três pontos mais altos da escala, e que o valor mínimo é 6, o que indica satisfação moderada de um número bem reduzido de participantes.

De qualquer forma, esse dado não deve ser negligenciado e vale rever a distribuição da carga horária para o conteúdo do curso em função do perfil dos participantes. Neste sentido, é importante salientar que a distribuição da carga horária e a qualidade e organização do material didático foram os únicos aspectos referente à programação e ao apoio que receberam média inferior a 9. A seguir, são descritos os resultados da avaliação da dimensão "Instrutor".

Reação ao instrutor

Neste curso, foi avaliado apenas o desempenho da instrutora Thaís Zerbini, visto que os demais participaram apenas na elaboração dos materiais didáticos e da coordenação acadêmica do projeto de treinamento. A Tabela 4.1.2 apresenta os resultados da avaliação realizada pelos participantes. De forma geral, observa-se que estes estão satisfeitos com o desempenho da instrutora, uma vez que as médias variam entre 8,83 e 9,83. Nenhum dos itens avaliados apresentou desvio-padrão alto, indicando homogeneidade de opinião entre os participantes do curso.

Os valores mais altos referentes ao desempenho didático da instrutora Thaís Zerbini referem-se aos itens 18 (M=9,83; DP=0,41) e 9 (M=9,67;

TABELA 4.1.2 Reação ao instrutor

Itens	Moda	Min.	Máx.	Média	Desvio--Padrão
18. Respeito às ideias manifestadas pelos treinandos	10	9	10	9,83	0,41
9. Domínio dos conteúdos abordados	10	9	10	9,67	0,52
13. Utilização de casos reais nas atividades em sala de aula	10	8	10	9,50	0,84
15. Esclarecimento de dúvidas e questionamento dos alunos	10	8	10	9,50	0,84
19. Transmissão dos objetivos instrucionais	9	9	10	9,50	0,55
10. Clareza da apresentação dos conteúdos do curso	10	8	10	9,33	0,82
12. Utilização adequada de recursos instrucionais	10	8	10	9,33	0,82
16. Cumprimento do programa proposto para o curso	10	8	10	9,33	0,82
14. Incentivo à participação dos alunos	9	8	10	9,17	0,75
17. Coordenação das atividades de forma a favorecer a aprendizagem	9	9	10	9,17	0,41
11. Utilização de estratégias de ensino adequadas aos conteúdos abordados	9	7	10	8,83	1,17

DP=0,52), que avaliam respectivamente, o respeito às ideias manifestadas pelos treinandos e o domínio dos conteúdos abordados. Vale ressaltar que os dois itens apresentaram desvios-padrão baixos, indicando opinião similares entre os participantes.

O item que apresentou avaliação mais baixa refere-se à utilização de estratégias de ensino adequadas aos conteúdos abordados (item 11; M=8,83; DP=1,17). É importante salientar que este foi o único item referente à instrutora que recebeu média inferior a 9, indicando mesmo assim um desempenho didático bastante satisfatório por parte do instrutor em questão.

Reação à aplicabilidade e aos resultados

Na Tabela 4.1.3 são apresentados os resultados da avaliação dos aspectos referentes à aplicabilidade e aos resultados do treinamento. Observam-se avaliações bastante satisfatórias, pois as médias variaram entre

TABELA 4.1.3 Reação à aplicabilidade e aos resultados

Itens	Moda	Min.	Máx.	Média	Desvio--Padrão
21. Aplicabilidade dos conteúdos do curso para o desempenho das atividades desenvolvidas na área pública	10	9	10	9,67	0,52
22. Atendimento às necessidades de aprendizagem sobre o assunto	9	8	10	8,83	0,75
24. Melhoria dos níveis de desempenho quando retornar ao trabalho	9	7	10	8,83	0,98
20. Assimilação dos conteúdos transmitidos no curso	9	7	10	8,67	1,03
23. Capacidade de transmitir os conhecimentos adquiridos no curso a outras pessoas	9	7	10	8,67	1,03

8,67 e 9,67. Nenhum dos itens avaliados apresentou desvios-padrão altos, indicando homogeneidade de opinião entre os participantes do curso.

O item melhor avaliado está relacionado à aplicabilidade dos conteúdos do curso para o desempenho das atividades desenvolvidas na área pública (item 21; M=9,67; DP=0,52). Esse item apresentou alta concordância entre os participantes. Em contrapartida, os itens cujas avaliações foram as mais baixas referem-se (20) à "Assimilação dos conteúdos transmitidos no curso" (M=8,67; DP=1,03) e (23) à "Capacidade de transmitir os conhecimentos adquiridos no curso a outras pessoas" (M=8,67; DP=1,03). Apesar de esses itens não terem sido tão bem avaliados quanto os demais, percebe-se que as médias em si não são baixas, o que representa satisfação por parte dos participantes do curso.

Impacto do treinamento no trabalho

A Tabela 4.1.4 descreve os resultados da avaliação dos participantes quanto ao impacto do curso no desempenho por eles executado na empresa. Diferentemente dos resultados da avaliação de reação, no caso de impacto, o curso parece ter exercido efeito mediano nas atividades dos profissionais da área de recursos humanos treinados. As médias variaram entre 5,12 e 8,83. Nenhum dos itens avaliados apresentou desvio-padrão alto, indicando homogeneidade de opinião entre os participantes do curso.

Os itens mais bem avaliados indicam que os funcionários aproveitam as oportunidades que têm para usar no trabalho os conteúdos do curso (item [2]; M = 8,83; DP = 0,75), recordam-se bem dos conteúdos (item

TABELA 4.1.4 Impacto do treinamento no trabalho

Itens	Moda	Min.	Máx.	Média	Desvio--Padrão
2. Aproveito as oportunidades para aplicar no trabalho o que aprendi no curso.	9	6	10	8,83	0,75
4. Recordo-me bem dos conteúdos do curso.	9	7	10	8,67	1,03
10. Tenho sugerido mudanças nas rotinas de trabalho.	9	6	10	8,65	0,82
6. A qualidade do meu trabalho melhorou nas atividades relacionadas ao conteúdo do treinamento.	9	6	10	8,54	0,75
7. A qualidade do meu trabalho melhorou nas atividades não relacionadas ao conteúdo do curso.	9	5	10	8,31	0,81
11. Tenho sido mais receptivo a mudanças no trabalho.	8	5	9	8,21	0,91
8. Sinto-me mais motivado para o trabalho.	8	6	9	7,91	0,78
1. Utilizo no trabalho o que aprendi no curso.	7	4	9	7,65	0,82
9. Sinto-me mais confiante no trabalho.	8	5	9	7,39	0,88
3. Cometo menos erros nas minhas atividades.	6	4	9	6,45	0,98
5. Executo meu trabalho com maior rapidez.	4	3	7	5,14	1,03
12 Meus colegas de trabalho têm aprendido novas habilidades comigo.	6	3	8	5,13	1,17

[4]; M=8,67; DP=1,03), desempenham melhor atividades relacionadas direta (item [6]; M=8,54; DP=0,75) e indiretamente ao curso (item [7]; M=8,31; DP=0,71), têm sugerido mudanças no trabalho (item [10]; M=8,65; DP=0,82) e têm sido mais receptivos a mudanças no trabalho (item [11]; M=8,21; DP=0,91).

Por outro lado, os itens cujas avaliações foram as menores sugerem que o treinamento não foi tão efetivo na redução da quantidade de erros cometidos no trabalho (item [3]; M=6,45; DP=0,98), no aumento da velocidade das atividades desempenhadas (item [5]; M = 5,14; DP = 1,03) e na multiplicação dos conteúdos do curso (item [12]; M=5,12; DP=1,17).

Ainda que sejam relevantes tais dados, vale lembrar que o curso é de alta complexidade cognitiva, o que exige maior concentração dos funcionários da área de recursos humanos para que erros sejam evitados, bem como maior tempo de dedicação às atividades. Além disso, todos os funcionários da área de recursos humanos participaram do curso, o que diminui a probabilidade de que colegas de trabalho aprendam, com os treinados, habilidades desenvolvidas no curso. Comentários sobre os resultados aqui descritos são apresentados na seção seguinte.

Sugestões de aprimoramento

Os resultados obtidos por meio da avaliação de reação indicaram altos níveis de satisfação dos participantes, principalmente no que concerne à instrutora. Esta atendeu às expectativas dos alunos em termos de domínio do conteúdo, desempenho didático e entrosamento com os treinandos. A menor média atribuída aos itens da dimensão "instrutor" foi 8,83, o que é muito bom.

No que tange à aplicabilidade e aos resultados do treinamento, as avaliações dos participantes também foram satisfatórias, especialmente no que diz respeito à aplicabilidade dos conteúdos do curso para o desempenho das atividades desenvolvidas na organização. Os itens cujas avaliações foram mais baixas (média 8,67) referem-se à assimilação dos conteúdos transmitidos no curso e à capacidade dos participantes de transmitir para outras pessoas os conhecimentos adquiridos durante o curso. Neste caso, sugere-se maior ênfase nas atividades práticas com o intuito de fornecer aos participantes maior domínio do conteúdo e segurança e, assim, contribuir para a formação de uma opinião mais satisfatória sobre os resultados do treinamento.

Quanto à dimensão "programação e apoio", esta também foi bem avaliada pelos participantes, especialmente a definição dos objetivos; a sequência dos conteúdos apresentados; e a associação ente os conteúdos apresentados e os objetivos do curso. Mas apesar dos resultados satisfatórios (todas as médias acima de 8,50), dois pontos merecem atenção: a distribuição da carga horária para o volume de conteúdo apresentado e a qualidade e a organização do material didático.

Os resultados apresentados anteriormente apontam para a probabilidade de apenas um número reduzido de participantes ter considerado inadequada a administração da carga horária e a qualidade do material. No espaço do questionário reservado para a manifestação de opiniões, um treinando sugeriu que a carga horária fosse aumentada para permitir um tempo maior de prática e outro criticou o material, afirmando que estava ilegível. Como o número de respondentes para este curso foi reduzido, é difícil generalizar esses resultados, já que não são representativos. Mas vale sugerir que o material seja verificado antes de ser entregue aos participantes a fim de que qualquer cópia que apresente problemas seja substituída.

No que diz respeito à avaliação de impacto, os resultados sugerem que os funcionários da área de recursos humanos têm buscado aplicar no trabalho o que aprenderam no curso. Isso fica evidente quando os participantes relatam que o curso impactou tanto nas atividades relacionadas aos conteúdos do curso como naquelas não diretamente a ele associados. Vale destacar que a habilidade de elaboração de instrumentos é de fundamental importância não apenas para o desenvolvimento de pesquisas de avaliação de efeitos de treinamento. Como ferramenta de pesquisa, seu uso pode ser estendido a toda e qualquer tomada de decisão da área de recursos humanos, justamente porque essas se baseiam, sempre, em resultados de processos avaliativos.

Um outro aspecto importante desta avaliação concerne ao fato de que nem todos os participantes relataram estar usando no trabalho, com frequência, aquilo que aprenderam no curso. Neste caso, é preciso destacar que, por mais importante que seja a habilidade de elaboração de instrumentos de avaliação para uma determinada equipe de recursos humanos, nem todos os integrantes, de fato, podem receber a incumbência de confeccionar os instrumentos da área de treinamento. Tanto porque outros processos de gestão de pessoas precisam ser continuamente executados. Assim, não é estranho o resultado observado.

Quanto aos resultados que indicam que o treinamento não foi tão efetivo na redução da quantidade de erros cometidos no trabalho e no aumento da velocidade das atividades desempenhadas, mais uma vez, merece atenção o fato de o curso possuir alta complexidade. Assim, é de se esperar, no início da aplicação, que instrumentos de avaliação de treinamento, após somente 40 horas de curso, possuam uma série de falhas, além de exigirem muito mais dedicação dos profissionais envolvidos com a questão. Não se trata, pois, de um resultado adverso. Mas, sim, de um processo natural de aprendizagem cuja velocidade tende a ser reduzida, nos primeiros momentos, em função da complexidade elevada das habilidades desenvolvidas. De qualquer forma, a carga horária das turmas futuras deste curso podem ser ampliadas entre 10 e 20 horas, de forma que os participantes tenham mais oportunidade de praticar a habilidade de criação de instrumentos de pesquisa.

Índice

A
Ações, planejamento de 75-124
Análise individual 26-29, 30, 36, 46-51, 62-65, 67, 148
Análise organizacional 26-30, 35-39, 47, 50, 61-63, 65, 148
Avaliação 125-152
  exemplo 157-166
    apresentação 158
    procedimentos 158-160
    resultados 159-166
      reação à programação e apoio 160-161
      reação ao instrutor 161-162
      reação à aplicabilidade e aos resultados 162-163
      impacto do treinamento no trabalho 163-165
      sugestões de aprimoramento 165-166
    resumo 157
  modelagem de sistemas de avaliação de treinamento 132-151
    indicadores, meios e fontes de avaliação 135-142
    níveis de avaliação e demais variáveis 133-135
    procedimentos de coleta e de análise de dados 143-146
    retroalimentação 146-151
Avaliação de necessidades 25-59
  alternativas metodológicas 50-57
  análise de demanda 31-35
    avaliação do trabalho do cliente 35
    capacidades 32
    concepção da estratégia de 32-33
    condições 31
    educação para o uso da estratégia 34
    motivação 32
    utilização da estratégia pelo cliente 34
  exemplo 61-73
    apresentação 61-62
    desenho e implantação do processo 62-65
    recomendações de ações 72-73
    resultados 65-72
  processo de avaliação 29-31
    análise de tarefas 30, 39-46
      atribuições e responsabilidades ocupacionais 39-42
      análise documental 39
      entrevista 40-41
      incidentes críticos 41
      observação participativa 39-40
      descrição dos CHAs 42-45
      CHA 45
      desempenho 45
      propósito 45
      verbos 45
      determinação da relevância dos CHAs 45-46
    análise individual 30, 46-50
    análise organizacional 30, 36
      fatores relevantes para 36

Índice

C
CHAs 16, 21, 30-31, 42-46, 48-50, 53, 75, 83, 148

D
Desempenho 16, 17, 21, 26-28, 30-39, 42-43, 45-48, 51-53, 55, 57-59, 61-62, 64, 66-69, 71, 75-76, 81, 83-87, 96, 105, 109, 111, 113-115, 121, 125, 129-130, 133-138, 140-146, 148, 151, 157-163, 165
Desenvolvimento
conceitos essenciais 15-23

E
Educação
conceitos essenciais 15-23

I
Impacto das ações 23, 30, 38, 50, 70-71, 125-127, 135-136, 140, 142, 146, 148-151, 157-160, 163-166
Indicadores 83, 111, 132, 135-142, 144, 146, 150

N
Necessidades de TD&E, avaliação de 25-59

P
Planejamento de ações 75-124
análise, classificação e ordenação de objetivos instrucionais 92-103
como as pessoas aprendem 76
definição de critérios de aprendizagem 109-111
desenvolvimento e validação de materiais instrucionais 109, 111-113
execução da ação educacional 114
exemplo de planejamento de ação 117-124
objetivos de ensino 83-87
seleção da modalidade de ensino/aprendizagem 87-92
seleção ou desenvolvimento de estratégias e meios instrucionais 104-108
teorias de aprendizagem 78
Programação de atividades 129, 135-136, 142, 146, 148-149, 158-161, 165

R
Reações 23, 124-127, 133-136, 140, 142-144, 146, 148-150, 157-163, 165
à aplicabilidade e aos resultados 162-163
à programação e ao apoio 160-161
ao instrutor 161-162

T
Treinamento, desenvolvimento, educação, aprendizagem 15-23, 25-59
avaliação de necessidades de 25-59
conceitos essenciais 15-23
diferenças 16-20
sistema de treinamento 20-22